掌相精粹

中卷

林國雄

圓方立極

「天圓地方」是傳統中國的宇宙觀，象徵天地萬物，及其背後任運自然、生生不息、無窮無盡之大道。早在魏晉南北朝時代，何晏、王弼等名士更開創了清談玄學之先河，主旨在於透過思辨及辯論以探求天地萬物之道，當時是以《老子》、《莊子》、《易經》這三部著作為主，號稱「三玄」。東晉以後因為佛學的流行，佛法便也融匯在玄學中。故知，古代玄學實在是探索人生智慧及天地萬物之道的大學問。

可惜，近代之所謂玄學，卻被誤認為只局限於「山醫卜命相」五術及民間對鬼神的迷信，故坊間便泛濫各式各樣導人迷信之玄學書籍，而原來玄學作為探索人生智慧及天地萬物之道的本質便完全被遺忘了。

有見及此，我們成立了「圓方出版社」（簡稱「圓方」）。《孟子》曰：「不以規矩、不成方圓」。所以，「圓方」的宗旨，是以「破除迷信、重人生智慧」為規，藉以撥亂反正，回復玄學作為智慧之學的光芒；以「重理性、重科學精神」為矩，希望能帶領玄學進入一個新紀元。「破除迷信、重人生智慧」即「圓而神」，「重理性、重科學精神」即「方以智」，既圓且方，故名「圓方」。

出版方面，「圓方」擬定四個系列如下：

1. 「智慧經典系列」：讓經典因智慧而傳世；讓智慧因經典而普傳。
2. 「生活智慧系列」：藉生活智慧，破除迷信；藉破除迷信，活出生活智慧。
3. 「五術研究系列」：用理性及科學精神研究玄學；以研究玄學體驗理性、科學精神。
4. 「流年運程系列」：「不離日夜尋常用，方為無上妙法門。」不帶迷信的流年運程書，能導人向善、積極樂觀、得失隨順，即是以智慧趨吉避凶之大道理。

在未來，「圓方」將會成立「正玄會」，藉以集結一群熱愛「破除迷信、重人生智慧」及「重理性、重科學精神」這種新玄學的有識之士，並效法古人「清談玄學」之風，藉以把玄學帶進理性及科學化的研究態度，更可廣納新的玄學研究家，集思廣益，使玄學有另一突破。

自序

俗云：「人不可以貌相」，究竟是對還是不對呢？當然是對！「夏蟲不可與語冰，非無冰也，以其未見冰也。」所以，對於「目不識相」的人來說，絕對是對；精通掌相的人，只會是「人中伯樂」而已。

我則認為，絕對可以「以貌取人」，亦不怕失之子羽。懂得竅門與方法，觀人於微，做個現代曾國藩，對你作為聘用僱員、選擇拍檔、交友、選擇配偶或社交，都是行之有效、切實有用的學問。

看相，不單只是看面容那麼簡單，而是要配合氣色、眼神、形態、塑像、聲音、走路的動態、紋理、癦、疤痕、凹陷、直覺及觸機，才能將一個人的運程，緊緊扣起。

還記得很多年前在電視台工作的時候，有一位當紅的司儀叫我看相，我二話不說叫他行幾步、轉個彎給我看，當時我見他轉身是向右轉的，便告訴他，他很快便會離開電視台，後果應驗。

所以，學看相除了要熟讀流年部位、五官及十二宮所賦予的意義外，還要配合眼神及動態，一動一靜去推斷，才能準確。

很多學生問我學看相難不難。我說絕對不難，只要記性好，便已成功了一大半，「掌精於勤」，再加上一點悟性，目巧心靈，已可入門了。

看相最重要是感覺，「有諸內，必形諸於外」，眼前這個人開不開心、快不快樂、有沒有痛症，完全透過他的眼神向你表露無遺，問題是你懂不僅去接收這個信息，反過來將這信息轉告給這個眼前人，因為他仍然是懵然不知。

一個很懂得掩飾、口很密實、城府很深的人，都不能掩藏到他的眼神，尤其是有痛症、有手術的人，他的眼神會蒲、會露及會有一種痛苦的表現，在他的眼睛一開一合間完全釋放出來。觀人於微，學看相者就是訓練自己去捕捉這信息，所以，勤於觀察，多些留心身旁的人發生的事，就會給你很好的啓發，很快你就會進入看相的殿堂。

從事看相及教授學生，屈指一算已有數十個年頭了，一直有個心願，願將多年掌相心得傳開去，發揚光大。掌相並不是什麼神秘的東西，只不過是一門統計學，是能夠運用到我們日常生活上的一種實用學問，很值得大家花一點時間去研究。

願此書能夠作為大家入門的鑰匙！

目錄

氣色篇

實戰篇

氣色篇

氣色（上）

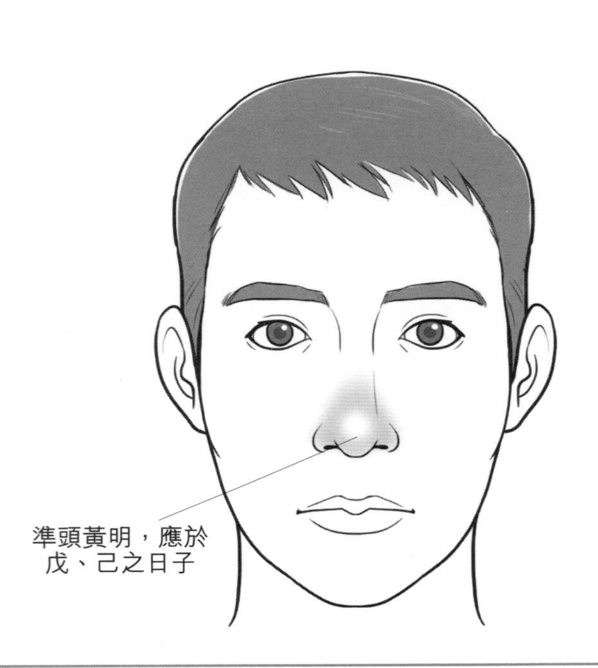

氣色在相學上是一個很深層次的學問，難學、難懂、難教，學者必須要用心去揣摸，勤於練習，多加觀察，方有所得。我只能在此説一個梗概，希望讀者能心領神會。

書云：「尋地者要目巧而心靈」，看氣色亦是一樣，但比尋龍點穴更難，因為龍穴混然天成，藏於地中，不會逃跑，但氣色是藏於渺茫之間，似有似無，稍縱即逝，很難把握，且形態千變萬化，亦可現於任何部位，難以捉摸，但有一個要訣可在此説出與各位分享——看氣色要以第一眼望落去的氣色為準，縱使第二眼的氣色與第一眼完全不同，亦要以第一眼為依據，相氣色的秘訣就是在於第一眼之感覺。

何謂「氣色」？

氣色乃從五臟六腑而發，藏於皮肉者為「氣」，浮於皮外者為「色」。氣之應數日期會較遲，約在三十天至一百八十天之間，而色則應數較速，快則十天，遲則九十天。再細緻去推斷「應數」日期，則要配合節令及月、日之天干。例如黃色屬土，應於戊、己之月或日。

觀氣色的部位，首看印堂，次看準頭，最後看驛馬。

另外，通常氣色是現於日間，夜間會難看及失準，因為經過一天的工作，至夜晚已變得辛勞，顏色有所偏差。故此觀氣色最準確的時間是在早上起床之後，稍事梳洗，取鏡自照，此時之氣色是最正確。

還有，觀氣色有六不看：

（一）睡眠不足者，不看。

（二）飲酒後，不看。

（三）發怒後，不看。

（四）房事後，不看。

（五）入夜後，不看。

（六）服藥後，不看。

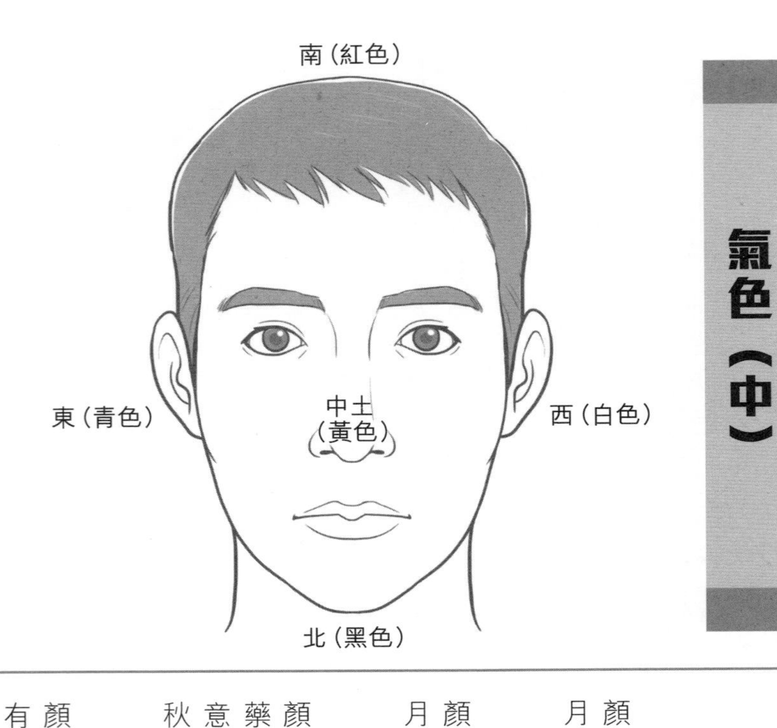

氣色（中）

春天五行屬木，主東方，五臟屬肝，顏色屬青，故此青色是由肝臟所發，正月、二月及三月屬春季。

夏天五行屬火，主南方，五臟屬心，顏色為紅，故此赤色是由心臟所發，四月、五月及六月屬於夏季。

秋天五行屬金，主西方，五臟屬肺，顏色為白，故此白色是由肺臟所發，中藥有一條名方，叫「瀉白散」，瀉白的意思就是瀉肺。七月、八月、九月屬於秋季。

冬天五行屬水，主北方，五臟屬腎，顏色為黑，故黑色是由腎臟所發。讀者有否注意腎病患者的膚色大多是枯黑之色？十月、十一月及十二月屬於冬季。

土是藏於四季最尾之月，即三月、六月、九月及十二月，五臟屬脾，顏色為黃。

顏色是一種很抽象的東西，我嘗試將其與實物掛鈎，易於聯想。青如翠羽，黃如蟹腹，赤如雞冠，白如豬膏，黑如烏毛，以顏色鮮明潤澤者為好；反之，枯澀無潤澤光亮者，無論何種顏色及當令與否，皆為凶兆。這是看氣色的重要原則。

青主憂驚，黃主進財，紅主喜慶，白主哭事，黑主疾病。

顏色大概以黃、紅、紫色為好，其餘青、白、黑、赤為不好。所謂紫色及赤色，皆由紅色變化而來。紅中帶黃明，就是紫色；紅中帶啡色，則是赤色，一吉一凶，千萬不要弄錯。

氣色與宮位及流年部位綜合，何年、何人發生問題，便可了然於胸。

氣色（下）

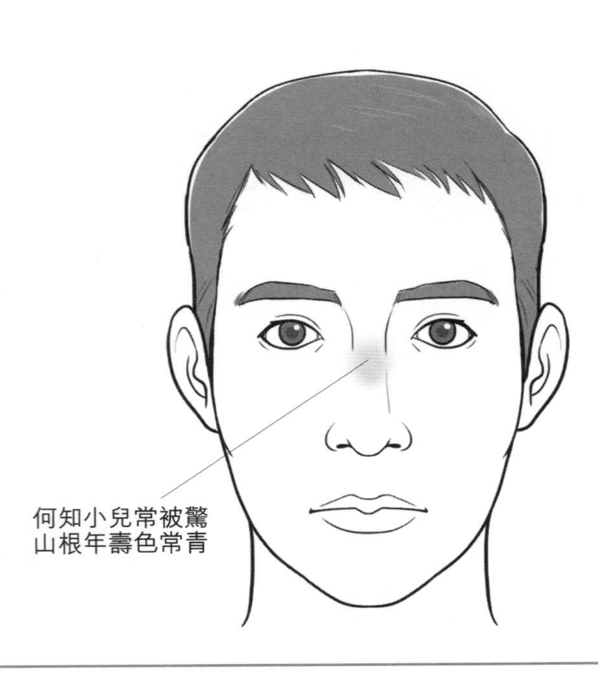

逢面上任何部位見青色，都是有憂事，不吉。

「何知小兒常被驚，山根年壽色常青」。「青筋攀鼻樑，無辜喊三場」。

如果是面青，是自己受驚，但年上、壽上部位見青，則是家宅有驚。

夏季見青色，肝有事，肚生蟲。

紅光滿面，紅主喜慶，「何知人家漸漸榮，顴如朱色眼如星」。

但紅色太重，是心火盛，肺金受損，就要留心肺部。

紅帶啡、黑為赤，不好，尤其此色現於鼻，為「火燒中堂」，主破家。

白色主喪事，「何知人家孝服生，但看喪門白粉痕」。

白色又與感情事有關，「法令之鎖準，為情所困」。有白色橫過年上、壽上與法令相連，是有男女間感情煩惱困擾，應數在九十天之內，通常在四十五天內會散。

白色又主妻子與人通姦，「何知人家妻室淫，奸門暗黑眉如金」。

黑色亦是令人討厭的色素。

「何知人家怪常來，朦朦黑色繞唇腮」，家中有古靈精怪之事發生，就有黑色現於嘴唇邊及腮角。

山根現黑色，兄弟有病。

顴骨黑，主破財。

基本上，全個面部皆不宜見黑色及任何黑點。耳黑、面黑，再加上印堂都黑，恐會因病致死。

黃色是面相上最吉利的氣色，主進財、升職、歡愉之事。

驛馬黃明，主有貴人，出門愉快。

一點黃光一點財，準頭黃明就有財來。

氣色之中，唯獨黃色雖不華明亦不主凶，只是時運平平而已，但在口唇則例外。

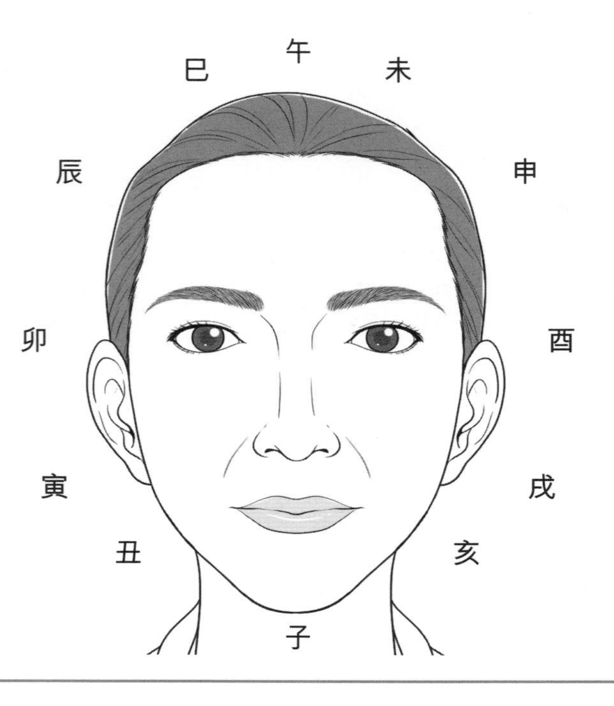

氣色與節令

觀氣色除了要認識青、黃、紅、白、黑、赤及紫七個顏色之外，一定要認清節令與月份之關係。

因為在本書內所提及之十二個月份，既不是西曆（陽曆），又不是舊曆（陰曆），而是第三種月曆，無論掌相、八字、風水都是用這種月曆。

怎樣去將一年分成十二個月份？就是用節令。

原來古人將一年分成二十四個節氣，在月首的叫做「節」，在月中的叫做「氣」，例如一月（寅月），節就是「立春」，氣就是「雨水」。現將十二個月之節氣列表如下：

月份	節氣
寅月（正月）	立春　雨水
卯月（二月）	驚蟄　春分
辰月（三月）	清明　穀雨
巳月（四月）	立夏　小滿
午月（五月）	芒種　夏至
未月（六月）	小暑　大暑
申月（七月）	立秋　處暑
酉月（八月）	白露　秋分
戌月（九月）	寒露　霜降
亥月（十月）	立冬　小雪
子月（十一月）	大雪　冬至
丑月（十二月）	小寒　大寒

在節與氣之中，我們只要認識「節」就可以，因為一交立春，就屬於一月（寅月）；一交驚蟄，就屬二月（卯月），餘此類推。

我們所指的一月，是指寅月，由交立春之日開始計算，直至驚蟄前一秒為止，是屬於一月，既不是舊曆之正月，亦不是西曆之一月。

但我建議不要用舊曆去翻查節令，而應用西曆。因節氣每年大概都在接近之日子，前後不會超過兩天。例如每年之立春皆在西曆之二月四日或五日，一定不會錯。但舊曆因「十九年七個閏月」的關係，所以節氣並沒有規律地出現。

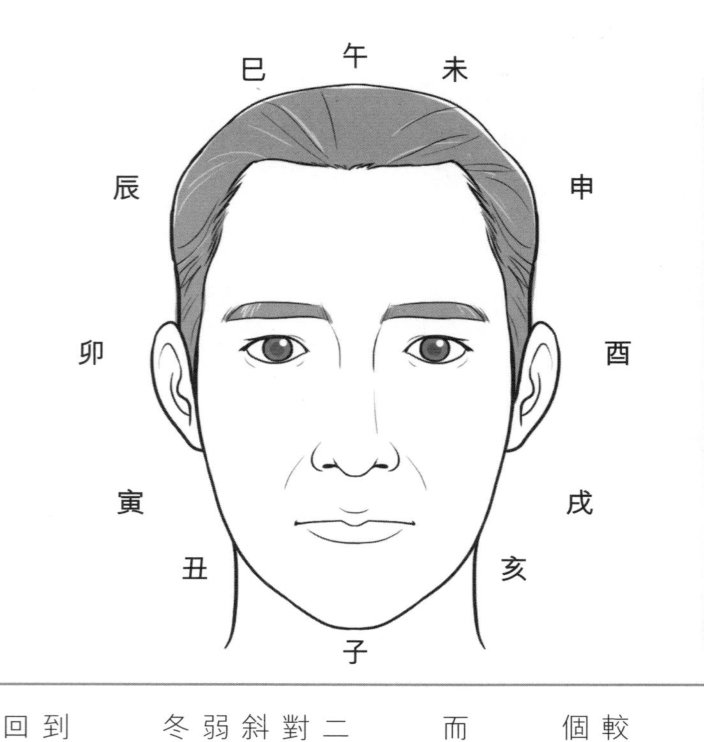

西曆與節令

為什麼用西曆（陽曆）去查節氣會較容易及準確呢？秘密就在「太陽」兩個字。

所謂陽曆，就是用太陽行度為基礎而製定出來的曆法。

每年大概在十二月二十一日或二十二日，太陽就會照射在「南回歸線」上，對位於北半球的人而言，這天太陽光是斜照到南半球上，而北半球的太陽光最弱，是一年中最寒冷之日子，故稱之為冬至。

該日開始，太陽又漸漸由南向北上，到六月二十一日或二十二日，就回到「北回歸線」上，對位於北半球的人而言，

太陽是直照，天氣炎熱，故叫做夏至。

這個規律是恒久不變的，由於陽曆是四年一閏月的關係，地球自轉一周為三百六十五又四分之一日，而為求計算方便，故一年就以三百六十五天算，但該四分一日又沒有理由不計，故此每隔四年就多加一天，所以每逢閏年的二月，就由二十八天變成二十九天，道理就是這樣。

而用四除得盡的年份，該年就是閏年，例如二〇一二、二〇一六年，可以用四除盡，這兩年的二月份就有二十九天，因此，每年的節氣前後不會超過兩天。

因此，讀者以西曆去查節氣，比較輕鬆容易。現將各「節」日子列表如下，以供參考：

月份	西曆	節
寅月（正月）	2月4日或5日	立春
卯月（二月）	3月5日或6日	驚蟄
辰月（三月）	4月4日或5日	清明
巳月（四月）	5月5日或6日	立夏
午月（五月）	6月5日或6日	芒種
未月（六月）	7月6日或7日	小暑
申月（七月）	8月6日或7日	立秋
酉月（八月）	9月6日或7日	白露
戌月（九月）	10月7日或8日	寒露
亥月（十月）	11月6日或7日	立冬
子月（十一月）	12月6日或7日	大雪
丑月（十二月）	1月6日或7日	小寒

以花喻色

春季，即正月、二月及三月，屬木，以青色為主色。

正月：花樹皆萌芽，爭相勃發，生機處處，以青色為正色。

二月：開始有花開，色宜青而帶黃。

三月：花已盛開，又接近夏季，以色帶黃、紅為主色。

夏季，即四月、五月及六月，屬火，以紅色為主色。

四月：花已開遍，紅色。

五月：亦以紅色為主。

六月：最好是紅帶微黃，時近立秋，秋氣肅殺，花將近凋謝，紅色應漸退，見微紫白色。

秋季，即七月、八月及九月，屬金，以白色為主。

七月：節令立秋，紅色已退，白色浮現，花已謝，帶黃白色。

八月：花已枯謝，帶白、灰色。

九月：白色帶微黃為主。

冬季，即十月、十一月及十二月，屬水，以黑色及白光色為主。

十月：樹木凋零，色應帶灰。

十一月：萬物蕭條，嚴寒花死，色應是灰暗，帶黑色。

十二月：冬去春來，黑色應漸退，而微微帶青色。

在春季如面青帶白，此乃金剋木，是不佳之色。如青色帶黑色亦不妙，春季寒木被水浸，寒木不生也。

在夏季，面呈青色，亦非佳兆，因夏屬火，花已盛開應呈紅色，反現青色，是此花已壞。

在秋天，花兒也謝了，應現白色，但面色帶紅，不正常，乃火剋金，主肺有毛病或犯官非、口舌。

在冬天，黃黑兩色並見，乃土來剋水，主官非破敗。

四季部位取色

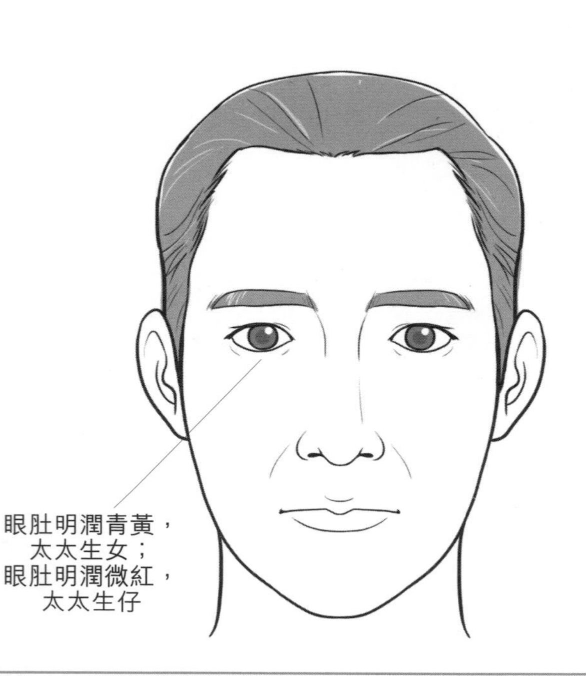
眼肚明潤青黃，
太太生女；
眼肚明潤微紅，
太太生仔

春天看左眼、顴。「春天但看三陽取」，春天屬木，以青色為主而帶微紅，黃色為好。三陽即左眼肚的地方，男性左眼下青色，是兒子有病；右眼下青色，是女兒有病。

男性眼下有明潤微紅，主太太誕男嬰；明潤青黃，則生女；如暗滯赤黑，太太恐易難產。

由準頭至山根，貫穿印堂直上天庭有黃潤紅光者，主榮陞、調遷、進財、置業、喜慶之事。

夏天看額。「夏赤須於印內求」，夏天屬火，如見紅赤色，主先見口舌而後見財喜。如見黑色為夏行冬令，水來掩火，剋我者為官殺，官非小人侵也。在夏季，不宜見青、綠之色，因火已當旺，不再要木生，否則過旺變成忌神，主重病。

秋天看年上、帶上。「秋白但觀年壽上」，秋天屬金，見白色為當旺，金見金也，先有哭事，後見財喜。黑色為相生，先有病，而後吉。青色現則為金木對戰，金剋木也，有相剋亦為不吉。赤紅色現，大凶，火來熔金，諸事不妙。準頭紅，主官非、破財，「火燒中堂」是一種極不吉利之氣色。

冬天看下巴。「冬來地閣白光浮」，冬天屬水，黑色為旺，水見水，先凶後吉。青色現為相生，先驚後吉。黃、赤二色相兼，黃屬土，土剋水；赤屬火，水火相激，土、火、水三者相混，主凶。白色在冬天浮於地閣，先哭後喜。

四季看鼻。說到這裏，心水清的朋友可能會發覺，春天屬木，夏天屬火，秋天屬金，冬天屬水，為何獨欠土呢？原來土是藏於四季最後的一個月，即三月、六月、九月、十二月，以黃色為主色而應兼見該季當令之氣色，但以準頭為主要部位。滿面黃氣明潤，即使沒有該季當令之色，仍以吉論；如色滯色暗，不吉但亦不主凶。

十二宮氣色

1 兄弟宮
2 夫妻宮
3 命宮
4 子女宮
5 財帛宮
6 疾厄宮
7 遷移宮
8 奴僕宮
9 官祿宮
10 田宅宮
11 福德宮
12 父母宮

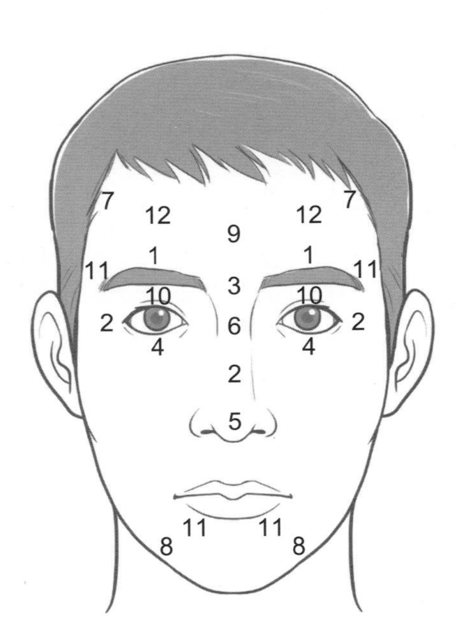

兄弟宮

眉為兄弟宮，主兄弟之間的感情、助力及健康。此部位氣潤光明，兄弟相處和睦；赤色，兄弟不和；白色，有孝服；黑色，兄弟刑剋；眉亂，刑剋兄弟。

夫妻宮

男性的夫妻宮位於魚尾奸門部位，氣色黃潤，主夫妻感情和諧；青色，配偶生病；赤黑，夫妻爭鬥、口舌或配偶有血光之災；白色，配偶有悲傷、破財、損傷或夫妻分離；黑赤枯焦，主配偶剋離。

女性以鼻為夫星，氣色論斷可參照男性。

命宮

命宮即印堂，看相先看命宮。命宮位在兩眉中，為十二宮之首，主一生財、官運之盛衰，及身心之否泰。

命宮一生的氣色都要明潤，忌暗滯。明者，象徵生命光輝燦爛，主其人命運亨通，六親吉祥。暗者，象徵生命蒙上陰影，主其人命運蹇滯，六親不吉。忌凹陷，宜平滿。

子女宮

三陽三陰，即在眼肚之位置為子女宮。

左眼下青，兒子有事；右眼下青，女兒有事，男女同斷。子女宮宜黃明紅潤，主子女身心健康；紫色，主生貴子；現黑色為下下之色，會行衰運五至十年。

眼肚如出現網紋，在下雨天時最顯眼，稱為「陰騭紋」，是曾做過功德好事，消防員中最多見。

財帛宮

準頭及鼻翼為財帛宮，主錢財及事業之順逆。此部位宜黃潤有光，主財旺、事業興隆；赤、黑、枯白，均主破財、敗業。

疾厄宮

山根、年上及壽上為疾厄宮，主自己及六親健康災病。

此部位宜紫紅黃明，則自己及六親身體健康；赤色，主自己重災、血光；枯白，主配偶、兄弟病災；暗黑色，自己有病；青色，主憂驚。山根暗色連及年上、壽上，主家中有久病之人。

遷移宮

山林、邊城皆是驛馬位，是遷移宮之所在，主環境變遷之順逆。

此部位宜黃明紅潤，主遇貴人，見財喜，求職求官、考試順利、旅行平安；赤色，出門惹官非。所以在逆境的時候，最宜出門，使遷移宮的氣色轉為黃明，得遇貴人，運程自有轉機。

我教人用此方法轉運多年，行之有效，但如驛馬色黑，就不能用此方法。

奴僕宮

奴僕宮是在地閣及奴僕之位置，亦即下巴之地方，主晚年及與晚輩、下屬關係之好壞，宜黃明紅潤；赤色，主與後輩、夥計、外傭相處不睦，口舌爭鬥。

官祿宮

官祿宮是由天中至印堂，主一生功名、事業之順逆，宜紫紅、黃潤，主升職，官訟則主勝訴；青色，主憂疑，涉官訟主敗訴；赤色，主牢獄之災；黑色，主遭解僱、降級、破財、敗業災厄。

田宅宮

田宅宮在上眼皮之部位，主物業及家宅人口之吉凶。紅黃，子孫吉；黃氣，主進財；黑氣，主破產；赤色，主是非；白色，主丁憂。

福德宮

眉尾對上（即天倉之位置）及地庫，就是福德宮，主身心之憂喜及境遇之順逆，應與天庭、邊城、山林、臥蠶、準頭、兩顴、地閣及精神、聲音、氣色等一概推論。

如各個部位豐滿，色澤光明，精神充沛，聲音清亮，為福厚德高。氣色現黃明者吉，面如磚灰者凶。

父母宮

父母宮即日角及月角，主父母之健康否泰，宜黃明紅潤，主父母健康吉慶；青色，父母有憂疑、口舌爭鬥；黑色，主父母災病或死亡；白色，主有孝服。

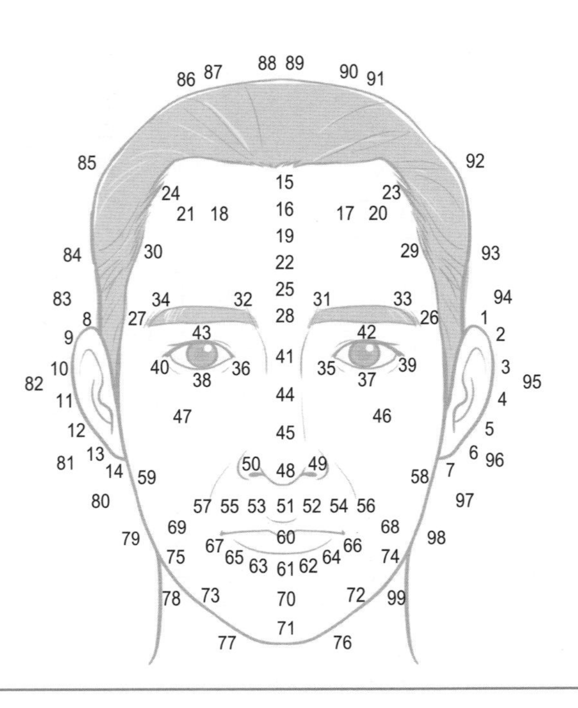

流年部位氣色

本篇論流年部位氣色，會由一歲耳朵起，講至七十五歲腮骨為止。每一個部位之氣色如何看法，只突出重點，使各位容易把握。

一至十四歲看耳。耳之氣色宜紅潤白亮，主健康好。色青暗，再加上年壽位暗黑，則主病；老人家耳黑多病痛。我有位徒弟，最近病逝，是患腎病，他以前經常在課堂上為同學做相辦，他面色灰白、耳黑，正是「面如水洗耳生塵」，加上他年壽位處有青黑色，故壽元有問題。

十五、十六歲看火星及天中，宜鮮紅明潤，主少年運佳，身心兩健，額黑暗滯，少年運差，諸多不利（童年看耳，少年看額）。

十七、十八歲看日角及月角，宜黃明，主吉；暗黑主刑剋父母，左剋父，右剋母。

十九、二十、二十一歲看天庭及輔角，宜明瑩紅潤，青年運佳；昏暗沉滯，主外出有災難、意外。如眼有紅絲貫睛，則考試求謀不能遂意，「何知人家不及第，眼中赤脈如絲曳」。額亦代表四、五、六月份。

二十二歲看司空。此部位一生要明潤色，不宜青色，赤、青二色主災凶。司空是通關位。

二十三、二十四歲看邊城。邊城，即驛馬位，看出門、遷移，故宜明潤，主時運順、出門愉快。若紅色成片，或青色現，不宜出門，主凶。

二十五歲看中正。跟十三氣勢部位一樣，宜明潤，不宜凹陷。中正是官祿位之一，宜飽滿，否則做官都烏紗不保。

二十六、二十七歲看邱陵及塚墓。不忌青色，最忌深赤，災殃立見。凹陷烏黑色，家山山墳倒塌傾陷、積水、蟻蛀，要起出再葬。如見紅色，就有新山拜。

二十八歲看印堂，宜黃明色潤透紅光，主大吉大利，升職有財。為官者，榮升高位，婦女則旺夫。印堂凹陷、青暗，主災病；赤色主官非；黑色主死亡，故有云印堂黑影，就要買定棺材。

二十九、三十歲看山林。此部位要黃明瑩潔，主時運順意；若色暗濁，災殃立至；若見黑色，不宜遠行，訂了機票亦應取消，防生意外，一去不返。

三十一至三十四歲看眉。眉內宜明亮、紅潤，主得大權、大財。眉內白如珠點者，主兄弟孝服。

三十五至四十歲看眼。眼下臥蠶位忌黑色，是下下之色，破敗災疾，一衰衰五至十年。眼黑定有難題未解決，或男女間有問題。憂是青色，是子女有事。

四十一、四十二及四十三歲看山根、精舍及光殿，宜紅潤黃明，主健康、家宅運均吉；忌青黑枯白，主孝服、疾病。四十二、四十三歲是識限運，是一個關口要過，一是見喪事而過，或見喜而過，「一喜擋三災，無喜百事來」。

四十四、四十五歲看年上及壽上，宜黃明，與準頭氣色不一致，主運蹇。患病時，年上、壽上位置呈青黑、暗滯色。

四十六、四十七歲看顴。一生宜明潤，其他色皆不吉。如見黑氣，主破家、家運不佳，地位受損。

四十八、四十九、五十歲看準頭、蘭台及廷尉。「一點黃光一點財」，宜黃潤透光，其他色不吉。

五十一至五十五歲看人中、仙庫、食庫及祿庫。這五個部位均屬水星範圍，氣色宜明潤，忌朦朦如塵；若現黃色，少年不妨，中年不利，老年主病；現紅色，會與人吵架；如黑暗色，家宅廁所馬桶瘀塞。

五十六、五十七歲看法令。法令紋

分內、外。法令有瘻，犯水險，亦主手腳有事。左法令有瘻，剋父親；右法令有瘻，剋母親。見青黑色，名譽受損；見紅色，口舌招尤、與人爭吵。法令是動的部位，宜出門、有喜事沖，否則易會着服。

五十八、五十九歲看虎耳，宜見黃白色。

六十歲看水星。相口並不容易，上下唇厚度要均等，不要歪斜。口用以看晚年、看是非。口角微微向上，吸引異性，口才好。口之周圍不宜見黃滯之色困口，皆因土來剋水，主病。

六十一歲看承漿，宜白潤、紅潤，忌青、黃之色。若少年承漿有黑色，主水厄。下巴長，下屬聽話；下巴短，被下屬指點。如食指長，可使喚下屬；食指短，難以控制下屬，連外傭也會作反。

六十二、六十三歲看地庫。不論男女老少，皆以白潤為吉，黑暗為災。

六十四至六十七歲看陂池、鵝鴨及金縷。此四處氣色以白潤如珠玉、有光彩者為吉；若白如枯骨，主凶。

六十八、六十九歲看歸來，即「酒窩」部位，宜明潤色，忌暗滯色。

七十、七十一歲看訟堂及地閣，色宜白潤；若呈紅色，主大吉；黑色，主壽數盡。

七十二至七十五歲看奴僕及腮骨。此四處均宜明潤，黑色枯者，主凶死。

實戰篇

準頭有肉

看相靠直覺

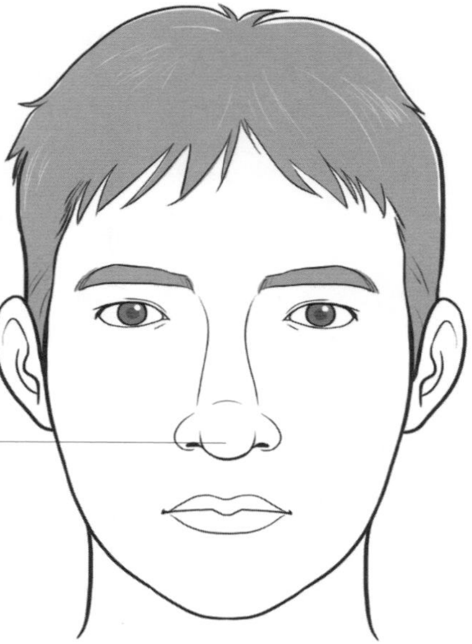

看相靠直覺，有冇搞錯？的確是千真萬確，沒有搞錯。

當你與一個素未謀面、毫不相識的人見面，第一次見面的感覺就是最真確。

這當然不是靠撞，而是建基於深厚的相學基礎之上。

每個人都有眼、耳、口、鼻、眉，謂之「五官」，但配合起來，每個人都不同。有些人看上去很順眼、好舒服、氣定神閑、眼神足、面色鮮明油潤，大致上已知道是「行運中人」。但有些人五官端正，但合起來一看，總是不順眼，不自然，這便是有問題。

再問年歲，看其流年部位，更瞭如指掌，例如：男性以鼻為財星，準頭有肉，蘭台、廷尉靚（即鼻兩邊鼻翼飽滿，沒有紋破，亦沒有癦），黃光透鼻樑，虛齡四十八歲，就知此人近來財運甚佳。

另外，你亦要為這個人「塑像」。就是望落去，這個似是什麼人，做什麼工作。

所謂相由心生、相由心轉，因人是受環境影響而不自知。

做和尚有一個相，做老板亦有一個樣，就算做舞小姐亦自成一格，只要日常多加留意，小心比較，自然會得心應手。

「何知僧道有高名，必是古貌與神清」。做和尚的，多是貌似古人，神氣清樸，少了一份都市人的氣味。

讀者有沒有留心到鄭少秋、米雪，他們的古裝扮相極為觀眾受落。他們主演的古裝劇，相對時裝劇，會更易成經典？

故此，為客「塑像」，也是學面相一個重要的課題。

遲與早

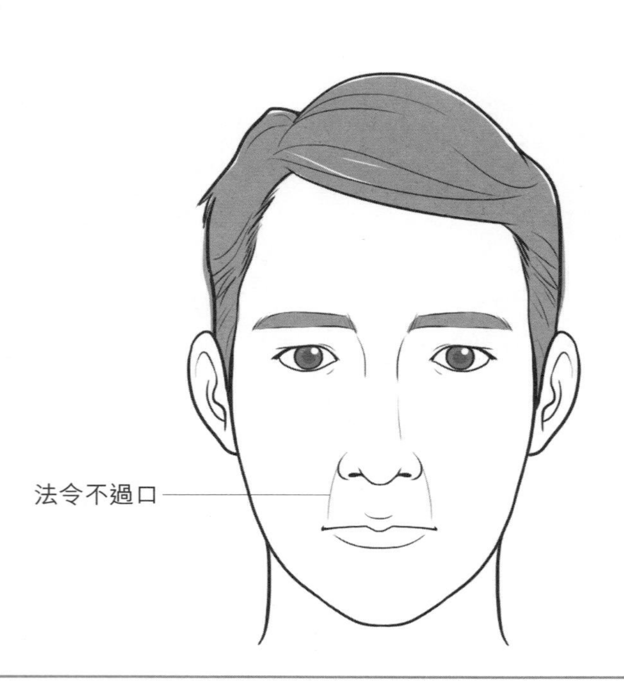

廣告歌唱曰：「時間啱啱好。」

時間是非常重要，很多事物發生早一刻與遲一刻，其後果往往是「判若雲泥」。所以我們學看相，亦要好好掌握時間這一門學問。

譬如在眉間忽然長出一條白眉毛，有人說會損壽元，亦有人說代表長壽，何者為正確？其實兩者都說得對，但最重要的因素是在幾多歲長出白眉毛。

如果是在二十歲長出來，三十歲前便會有問題，要小心健康，會損及壽元。

若在三十歲長出的話，則在四十歲前會有問題，要小心身體。所謂「何知一生多凶害，但看眉毛生出來」。

但在四十歲或以後才長出，則是「順應自然」的現象，是長壽的象徵。

眉屬木，木主肝，眉現白毛，即樹木枯死才現白色，故主肝臟出現毛病，宜速往檢查肝臟系統的病變，包括膽，所謂「肝膽相照」，無論在西醫與中醫的病理學上，兩者皆證實有緊密的關連。

人在二十歲至三十歲期間，我們都將其歸入青壯之列，所謂「三十歲前人欺病，三十歲後病欺人」，少木出枯葉，即身體出毛病了。

反之，四十歲後，退化是自然之現象，生白眉毛反而是長壽之徵。

另外，法令紋宜在四十八歲後才長出來，以深而長為佳，但如果太早生，則稱「苦淚紋」，女性會影響婚姻，男性則屬運滯。

法令紋雖然早生不好，但太遲生亦不妙，所謂「法令不過口，不過五十九」。如果到五十九歲時，法令生得不顯現及下垂不過口者，則健康會出現問題。但奇怪的是，假如你曾做過手術，則法令卻又會不明顯或不過口，到五十九歲卻仍安然度過，妙哉。

菩薩心腸

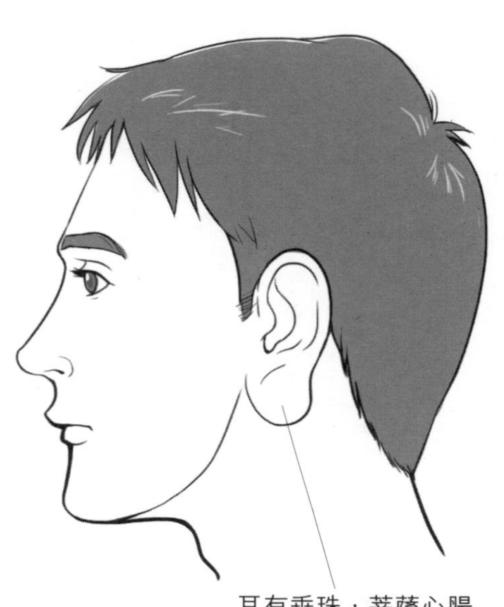

耳有垂珠，菩薩心腸

「相識滿天下，知己無一人」。

這句說話起碼證實了一件事，你未能觀人於微。

「知己」是與你「交心的人」，最重要不能有害你之心，酒肉朋友則不同，因為彼此都本着互利的關係而已。

「鼻頭有肉心無毒」，選擇朋友，首看他的準頭有沒有肉，是否圓潤豐隆，最忌鼻準如鈎，宜避之則吉，平時「風花雪月，寒喧一番」則可，促膝談心則不宜了，否則死了亦不知什麼事。

其次者，就是看眼，亦是最重要的一着。

眉為性，眼為心，有諸內必形諸外，儘管對方有多大的本事，都不能掩藏於眼神背後。

「眼皮眨不停，含笑知事心不誠」，眼正心亦正，眼邪心亦邪。

看眼首重對方與你談話時，是否眼神與你正面接觸，假若對方眼神閃爍不定，邪視於你，其心不正也，縱然貴為皇妃也可同斷。

眼神兇狠、眼露、赤脈貫睛（有一條或多條紅線在左右眼白貫穿瞳孔），此類人多暴戾，亦宜避之。

觀人於微，除了要觀察他與你交談的眼神，亦要留心他與其他人交談時的情況及獨處之動態，例如他與你相處時多是正視，但與其他人相處時卻是左顧右盼，四處游走，這個才是真正的他，屬於「此人奸滑要提防」。

「耳有垂珠」者，此人佛性深厚，其父母或本人多有宗教信仰，如配合祥和的眼神、有肉的準頭，則可謂有「菩薩心腸」，信得過了。貌似古人，則信佛教；貌似外國人，則信基督教。

但如果是耳有垂珠，而眼神深沉，此人卻是「佛口蛇心」。

壽星公是北方人

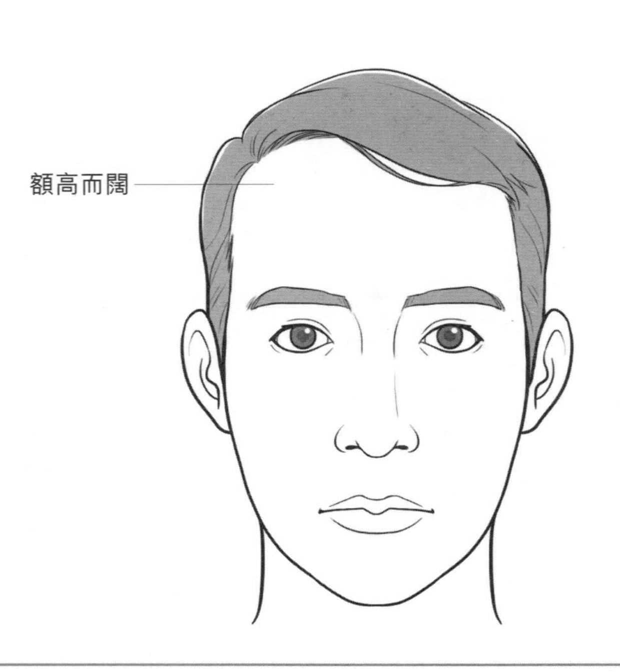

究竟壽星公是北方人，抑或是南方人？面相上是否看得出？是如何推斷的？

相學有點像推理小説、推理遊戲，多運用腦筋去思考，舉一反三，看相的功力就會更進一步。

相書有云：「南以天庭，北以地閣」，意思是指南方人以額頭為主，北方人就以下巴為主。

南方人的額頭普遍是高聳，而下巴比較短小；反之，北方人多是下巴兜兜，而額頭則比較窄，這皆是正常之面相。

所以，當南方人下巴生得靚，就是

「下巴兜兜，晚境無憂」，主晚年運不錯。但北方人下巴生得好，卻是正常之面相；反之，如果下巴生得不好，則是破格。

由此推論，我們便可知道，福祿壽中的壽星公，應該是北方人，原因就是壽星公的額是又高又凸的。

當然，單是額高額凸並不代表長壽，還須要其他條件的配合，例如耳仔生得好不好，眼神足不足，所謂「何知壽年九十六，天庭高聳精神足」，先師關德興就是一個好例子。

而法令與長壽亦有很密切的關係，例如「何知壽年八十二，法令低垂是」，意思並不是指法令長，其壽命只得八十二歲，而是指法令長而低垂，其人多高壽，而其人壽命多少，還得看其他部位之配合。

但如法令生得短，則壽元就會比較短，所謂「法令不過口，不過五十九」。人到四十八歲開始，法令紋就應該愈來愈明顯，以及應該長過口，否則五十九歲該年便有一劫。

但如果之前曾開過刀動手術，其人之法令就會不過口，五十九歲亦不會有此應，怪哉？

四庫皆空

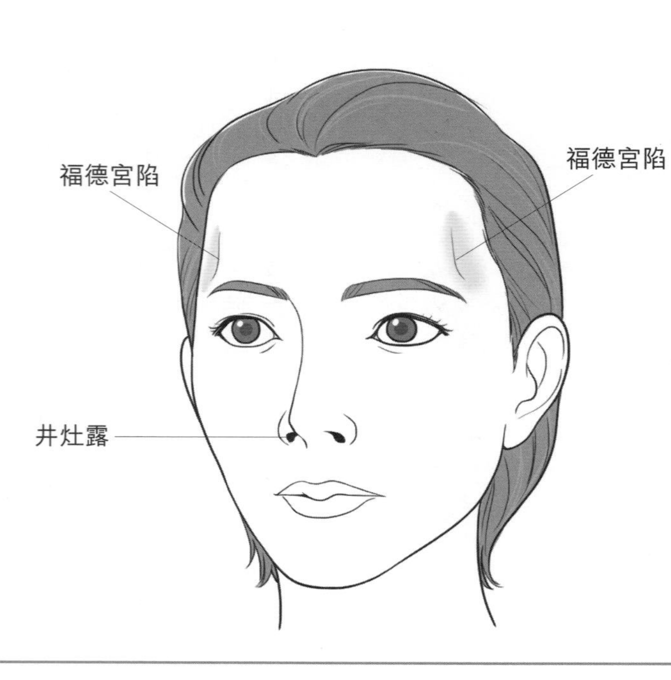

庫者，儲錢的地方；空者，沒有也。四個夾萬裏都沒有錢，空空如也，想不窮都難，家徒四壁，四大皆空。

四庫者，是左、右福堂及左、右鼻翼（即蘭台、廷尉）。

福堂即是福德宮，在左、右眼眉尾對上的地方，宜平滿，沒有紋破為合度，如凹陷、傾斜是為「空」。

蘭台、廷尉是在鼻頭的左、右兩旁，宜豐隆有肉，鼻孔不露，沒有瘢痣及紋破為合格。鼻翼就等於我們的褲袋，左右各一，如有痣於其上，就像你的褲袋穿了個洞，你認為錢可以儲存下來嗎？四庫皆空如水桶穿了四個洞，後果可想而知。

「四庫皆空」之人，三十四歲前無錢剩，五十歲前難發達，一生辛苦。「何知人生不聚財，但看法令破蘭台」，意思是法令紋向上伸展，微微屈入鼻翼一邊或兩邊，形成一條很深的紋，彷彿將蘭台切開。鼻翼有癦只是褲袋穿洞，法令破蘭台，則是連褲袋也割了，故四十九歲流年必有大耗。如兩邊皆有，則要預早幾年儲定穀種，四十九及五十歲此二年皆不宜投資，待運過後才再起。

鼻孔露，雖然是主漏財，但如內有「門劏」則可救之。讀者有沒有玩過堆沙包呢？當雨季黑色暴雨警告發出，很多商戶便會在門前堆起沙包或加高「地腳」。

所以，我現在教大家「人造地腳」的方法，就是「鼻孔露，留鬚救之」。但不要太早留，要到四十八歲才可以留。另外，還要留意不能讓鼻毛觸到鬍鬚，因會帶來滯運。

還有，鼻孔露雖然漏財，但如鼻厚有肉，準頭有力，財源不缺，進多於出，財漏亦不忌，用來用去都是面頭的幾張銀紙，反正疏財則酒肉朋友多。

人中鬚寒

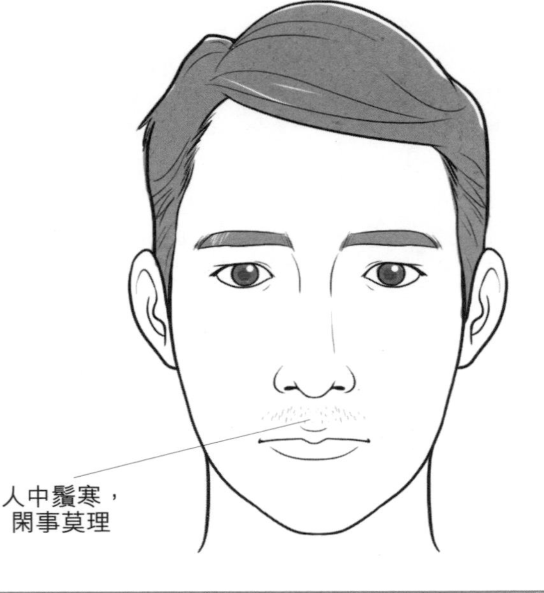

「橫眉冷對千夫指，俯首甘為孺子牛」。

有一種人很喜歡「抱打不平，多管閑事」，大有「雖千萬人，吾往矣」之氣概，這類人面相上有兩大特徵，一是人中長，二是眉尾向上而略尖，眉拂天倉。

「路見不平，拔刀相助」，當然是值得鼓勵，但偏偏有一類人是「勞而無功」，黑狗偷食，白狗當災，還要孭鑊。此類人的特點就是「人中鬚寒」。

人中就是連接鼻子與口唇之間的溝漕，男性每天都要剃鬚，有沒有發現自己的人中位置原來是很少或甚至長不出鬍鬚的？那麼，你千萬就別理閑事好了。人說：「無功不受祿」，你則「有功也不能食祿」，大忌為他人作擔保，否則必有損失。而女性由於沒有鬍子，則可免去這個憂心。

但「石地堂對鐵掃把」，「剛好遇着啱啱」，人中鬚寒卻是拆解眉疏散之方法。

眉在相學上有六忌，第六忌就是忌疏散，如眉毛疏落及散亂，三十一歲、三十二歲、三十三歲及三十四歲的流年就有問題。

眉為兄弟宮，即自身或兄弟會有事，但假若其人是人中鬚寒者，可免災禍，所謂「人中鬚寒不忌眉疏散」，怪哉，怪哉。

所以，有時看流年部位不應數之原因，就是未有配合其他相關的部位一同觀看，還記得二十六歲看眉，三十六歲看鼻，三十印堂莫帶殺等等這些口訣嗎？忘記了的話，請再翻閱雲流法篇（見136頁）。

改運玄機（上）

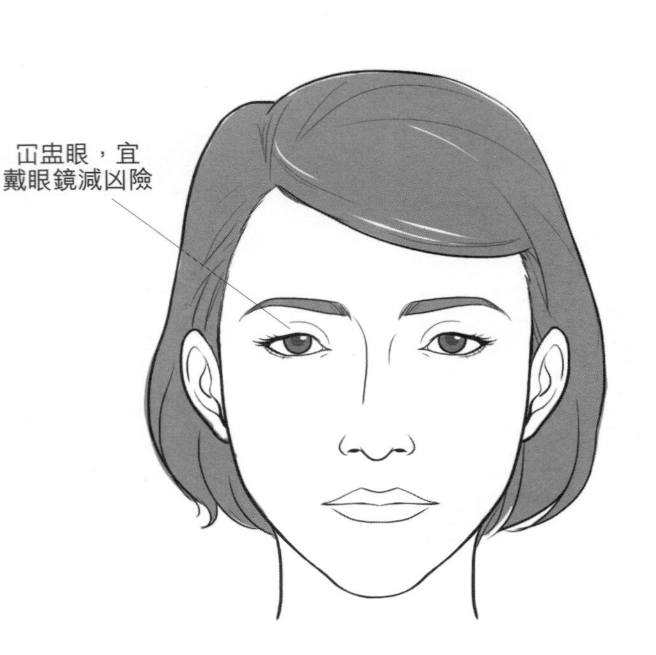

「若要人似我，除非兩個我」，這句話說明了每個人都是一個獨立個體，要相處融洽，必須各有所犧牲，才能共存，但人類是奇妙的生物，兩個性格截然不同的人，往往又能擦出愛情火花，携手走進教堂，但最終又要離異收場。

川字掌紋的女性，獨立性強，個性主觀，很難妥協，一旦熱戀，便全情投入，不會理會家人或旁人反對，大有「雖千萬人，吾往矣」之氣概。

川字掌的人不宜早談戀愛，早婚者多以離婚收場，但閃電結婚者，卻偏偏多是此類掌紋的人。

要解拆川字掌的方法有三：

（一）宜遲婚，起碼是二十八歲後。

（二）配大夫，年齡大七年或以上，十四年以上更好。

（三）婚後夫婦宜聚少離多，例如其中一方經常到外地公幹。

第一點，是利用時間對個人閱歷的磨練，改變價值觀念，糾正偏激，使頭腦線與生命線慢慢連在一起，改寫命運。第二點，男方年紀比女方大，閱歷較多，比較容易遷就。第三點，兩人聚少離多，可以減少磨擦的機會，例如其中一方可從事輪班工作的行業，如夜更的士司機，或經常到外地工作的人，例如海員。

「大夢誰先覺」，相信大部分人做某一件事之前，都是認為對才去做，就算「明知山有虎，偏向虎山行」，他也認定自己有能力打低老虎，才朝虎山而往。可惜，人在衰運中，往往事與願違，可能性命也會賠上。

在您長八年的眼運中，眼神與眼形不佳，漫漫長路，日子實不易過，但車子既然駛在崎嶇的山路上，旁邊是懸崖峭壁，就只能「戒急戒躁」，不能亂來。所以，從商的朋友，在這時段只能守，不能攻，不宜擴充。打工的朋友則宜利用這段時間進修。

眼露、眼蒲、凹凸眼、三角眼內射的朋友，宜戴眼鏡，減低凶險。總之，眼運不佳的朋友，就賜你一個「等」字。

改運玄機（下）

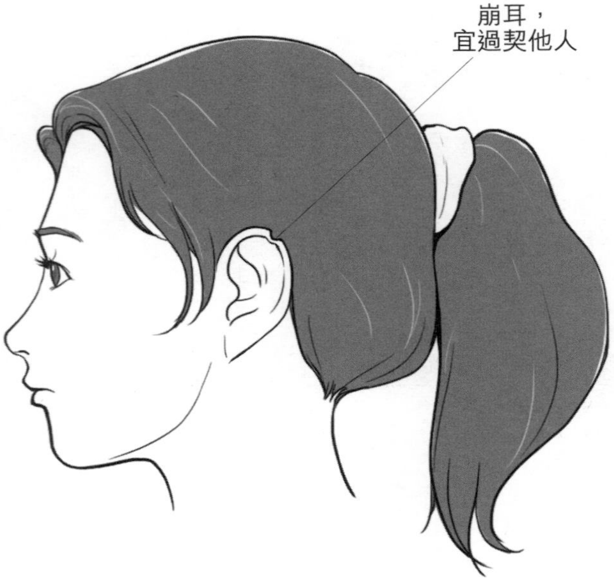

「懸針破印」，一條直紋破了印堂。印堂是命宮，「看相先看命宮，命宮生在兩眉中」，印堂主一生運程之順逆，除流年二十八歲會有問題外，又因其位居十三氣勢部位之一，在面相的中央，故對一生運程亦有影響，老來孤獨。破解此紋的方法是，最宜誠心供奉觀音，每天唸觀音六字大明咒及觀音經一百零八遍，三年後直紋便會慢慢向眉內彎入，改變而成「福德紋」，是相從心轉而改禍呈祥。

「過契」亦是一種很常用的方法。如果兒童耳朵崩缺，恐防難以養大，可將他／她契予他人，但所契者，必須是一位命硬之人，所以當我們收乾兒子或乾女兒的時候，就要衡量自己有沒有能力捱這個「義氣」了。

「出門動驛馬」這是我用得最多的方法，亦是行之有效的方法。當一個人覺得近來很滯運的時候，不妨買張機票到外地走走，一來可以散心，二來可以沖起驛馬之色，令其黃明而轉運，如客觀條件不能離開香港，則亦應到離島或郊外走走，遠離現有之磁場，都是有所幫助的。但如驛馬色暗滯而黑，就千萬不可用此方法了。

「留鬚」亦是一種改運方法。以下五種情況，可以留鬚：井灶露，留鬚救之；地閣不朝，留鬚救之；法令不明，留鬚救之；虎耳不明，留鬚救之；口角無棱，留鬚救之，但要留心鼻毛不能觸及鬍鬚，防土來剋水。鼻毛太長，露出鼻孔，會導致破財，所以修剪鼻毛可以阻止漏財。

還有，眉毛交連而鎖印堂，應拔去眉毛令印堂廣闊，以放得進兩隻手指為適度；門牙有裂縫則應修補，因主父母感情出問題。

面無善痣，身無善癦，亦應選擇性脫去。做面部護理會改善面部血液流通，改變氣色，亦可偶然為之，尤其是鼻有黑頭更靈驗。

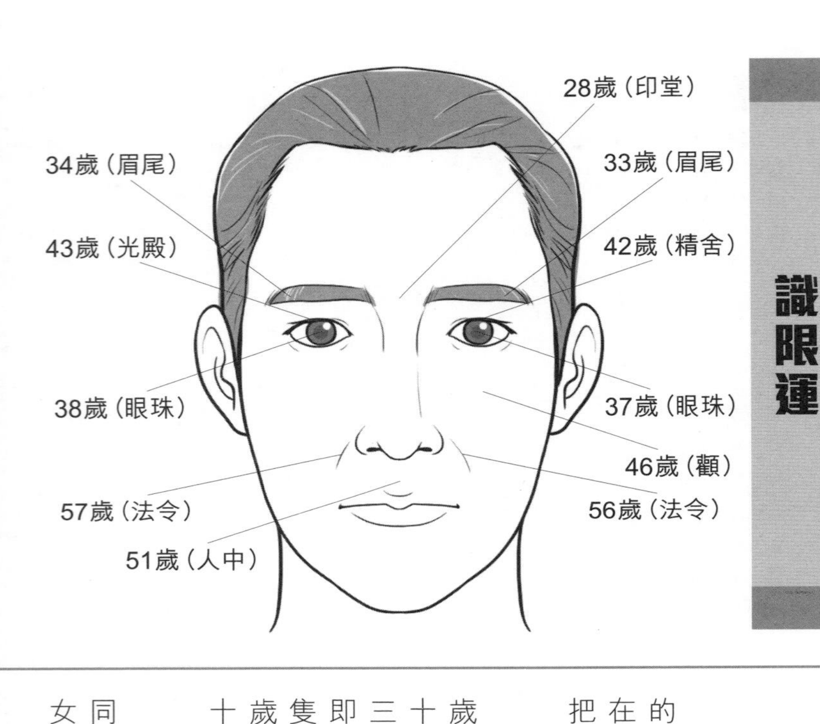

識限運

「識限運」是我看相多年累積下來的一點經驗，對後學者會有幫助，所以在這裏毫無保留地公開，希望大家好好把握，加以利用，提高相學之水平。

「識限限」的年歲分別是：二十八歲（印堂）、三十三歲（左眉尾）、三十四歲（右眉尾）、三十七歲（左眼珠）、三十八歲（右眼珠）、四十二歲（精舍，即全隻左眼）、四十三歲（光殿，即全隻右眼）、四十六歲（左顴）、五十一歲（人中）、五十六歲（左法令）及五十七歲（右法令）。

男女之歲數皆是一樣，只是部位不同而已。例如男性三十三歲行左眉尾，女性則行右眉尾。

運行識限的流年，標誌着人生大事的發生，無喜易見凶。

所謂「無喜百樣來」，如不見喜事，則易有白事、手術，就算搬屋都沖不掉，出門亦不能擋。

有一次我授課時，見一女同學鼻樑柱有暗青色素，眼下有白粉痕，「着服」之色浮現，我便請她出來做相辦，問之虛歲多少，正是虛齡三十四，哥哥剛剛過世，而丈夫的表弟亦於同月過身，而去年亦曾着服（虛齡三十三歲），乃父親仙遊而去。

三十四歲行左眉尾，亦是驛馬運，故此今年也會搬屋，可惜都難沖起。

行識限運的女性亦會影響丈夫，如做生意就會與人拆夥；如自己做生意則

自己與拍檔分家。如今哥哥過身，又曾搬屋，衰運已去，與丈夫亦無問題了。

故運逢識限，結合氣色，如詢之無喜慶吉事，可卜壞運，言必有驗，此乃奇數，望學者謹記之。

韮菜命

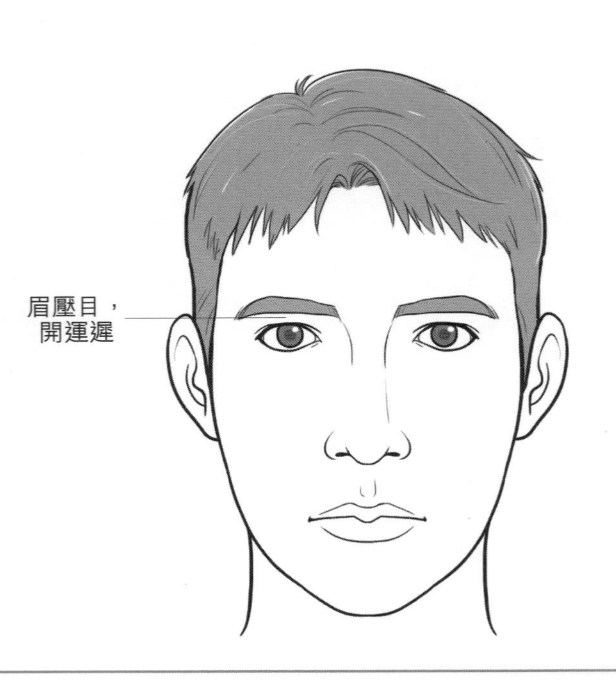

韮菜是生長到某一個限度，便被收割拿到市場出售，意思是用來比喻「好景不常」。

你有沒有發覺，有一類人，辛辛苦苦儲到一筆錢，便會無緣無故，總有地方令他花去，變回窮光蛋，又要從新「捱過」。

在姻緣路上，很心儀某位女性，千辛萬苦追到了後，她卻因為全家移民捨你而去。在工作上，你很想晉升某個職位，用盡一切辦法，終於如願以償，但不久公司便更改架構，將你降回原職。

以上種種皆是所謂「韮菜命」人的遭遇，他們都有一個共通的面相特點，就是「田宅位」生得很低。

「田宅位」是位於眼眉與眼之間，亦即眼蓋的位置。低的意思是指眼眉與眼之間的空位很少，看上去令人感覺好像是眼眉壓住眼球，鬱鬱不得志的樣子。

這類人的另一個特點是行運遲，但遲亦總勝於無運行。

由於田宅宮代表所住的地方，田宅宮窄表示所住的居所也比較小；反之，居住大屋的人，田宅位多是生得高而闊的。

還有，田宅位低之人，所住的樓層也比較低，例如多是在十樓以下。

有一點更妙的是，「韮菜命」的男士多是怕老婆的，有「季常之癖」，所謂「眉低壓目神無壯，必定帶埋藤條跪妻房」，雙目無神者，個人無主見，多懼內也。上文所提及「韮菜命」之人辛辛苦苦儲起一筆錢後，往往無緣無故花去了，可能就是被「老婆大人」劫去了。

但「眉壓目」有一個破解之方法，就是「眼深不怕眉壓目」，如果是眉棱骨高聳，而眼球深入去者，就不會有此應了。怪不得外國人不用怕老婆了。

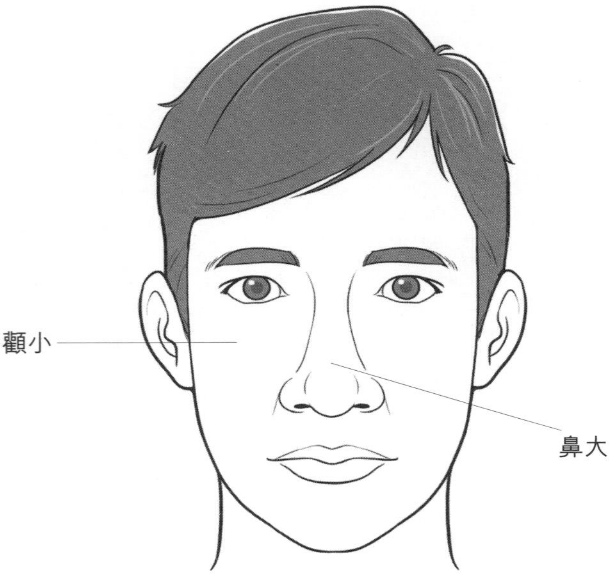

中和為貴，適者為度

很多「學相初哥」聽到男人鼻為財星，就以為鼻大者一定是有錢人、疊水之人，經常嚷着要去整容把鼻子整高整大，其實這是大錯特錯。

因為中國五術（醫學、占卜、星象、相學）的哲學思想，皆源出於《易經》，《易經》的中心思想是講求陰陽平衡，整套學問是貫穿在「平衡」兩個字。

中醫所說「陰平陽秘，精神乃治」，就是說人體內的氣血（氣為陽，血為陰）運行暢通無阻，人就不會生病的，此思想指導了中醫二千多年來為人治病的法則，到今天仍然證實有效。

鼻大的確是好，但是要有面相其他

部位去襯托，即面亦要大，兩者要合乎比例，否則只是鼻大而面小，是破格之相。

試想想，擁有成龍的鼻，而配上新馬師曾的面，你説望上去會自然舒服嗎？只會覺得畸型而已。

擁有酒糟鼻的人，他們的鼻子通常都比較大，因為其實鼻頭組織可能是發炎，現代醫學則證實內裏有蝨（一種很細小的微生物），這類人可能很有錢，但卻負債纍纍，所謂「孭重磅，跑爛路」，特別是他們有一種「有拖無欠」的壞習慣，故此做生意遇到這類對手，亦要醒目一點，不要説我沒有提醒你啊！

高高的鼻子，看上去可能是形態優美，但如果沒有顴去襯托，則叫做「孤峰獨聳」，是一個孤寡的相。

這類人往往自我中心太強，行事作風不理他人之感受，多屬人際關係不好的一類人。外國人很喜歡「ＡＡ制」，自己顧自己，是不是與他們的鼻子生得太高有關呢？

古人相妻

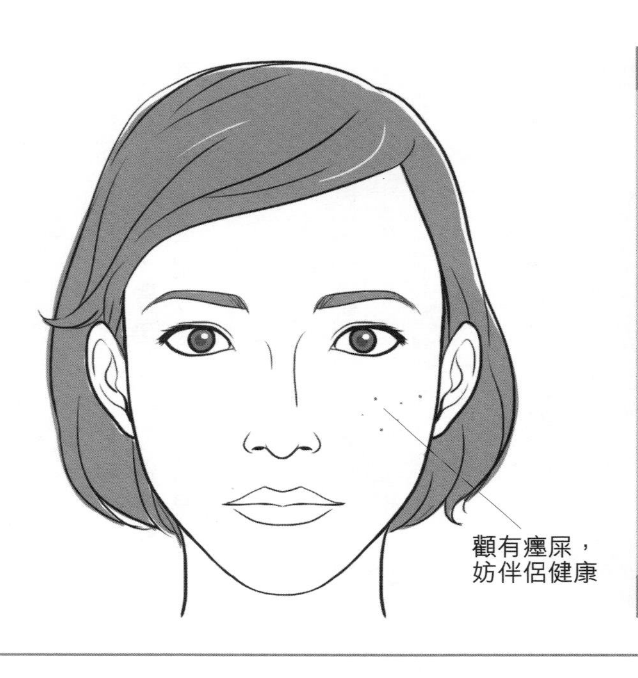

「婦人第一要益子將夫旺，骨圓掌厚一世好風光，口小鼻圓雙孔不昂，能生貴子可旺夫郎」。

「莫話矮婆墮臀不好樣，一味仔多不怕絕燈香」。

「臍凹一分兒一養。二分能見子成雙，三分三個不是虛言講，臍深半寸必有五個兒郎」。

「眼露髮粗皮肉糠，定然生產有災殃」。

「聲清兩目無斜望，必係同諧到老，至少都有三代同堂」。

「刑夫顴大額頭光」。

「兩顴墨屎雙夫展，顴高眼凸剋夠三個夫郎」。

以上七點，皆是古人擇偶之條件。對於二十一世紀今天的你，認為是否適用嗎？

第一點，鼻要圓，鼻孔不露，是持家有道，不會胡亂花費。

第二點，着意於傳宗接代，故不介意身材，只要「好生養」就可以。

第三點，想多添幾個子女，故要看看她的肚臍是否夠深。

第四點，看看她生育時是否有困難，眼露者，多有痛病及手術，髮粗皮肉糠是氣色不足之象，故生產時有麻煩。

第五點，則看她會否有異心，所謂「見人掩面斜偷看，私情密約任偷情」。故要看她兩目是否斜望。

第六點，要知道她是否剋夫。

第七點，知道她會刑剋自己，則要衡量自己是否承受得起。女的兩顴長出黑色墨屎，表示伴侶會有事，嚴重者會生癌。眼凸者則品性較剛，加以頸部腫大，所謂「何知人家殺頭夫，左頸肥大右頸枯」，嚴重甲狀腺腫大者，可能是脾性較剛烈也。

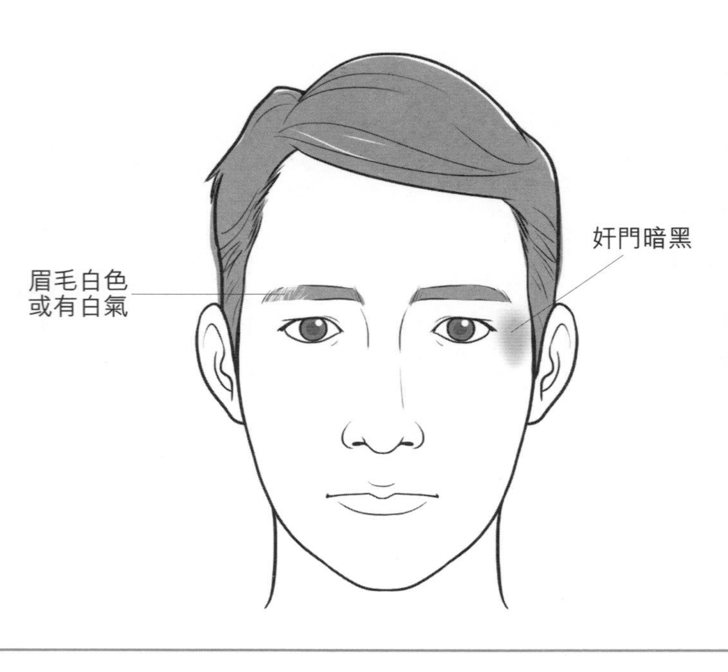

捉奸

奸門，是一個很特別的名稱。

「奸」者，貪婪、狡詐、自私、唯利是圖的意思，用來形容一個人奸詐、奸滑。

「門」者，出入的地方。

兩字合用，是用來形容貪婪、奸詐進出入的門口。

在相學上，古人又偏偏以「奸門」作為男性的「妻妾宮」，這豈不是指妻子是一個貪婪、狡詐、奸滑的人，天下男兒豈不都是大傻瓜？

奸門位於眼尾對出，即眼鏡框邊之

部位。

有說「捉奸要在床」，但古人卻很厲害，只要看看本身面相氣色與部位便一清二楚，省回聘請私家偵探的費用，但亦可能是累積了很多慘痛的教訓得回來一點丁的經驗。

「何知人家妻室淫，奸門暗黑眉如金」，這就是男性的「金句」。

眉毛是不會有金色的，如你請美容師染色則屬例外。金色是指白色，男士們當發覺自己奸門色素轉暗呈現黑色，以及眉毛底隱隱浮現出白色，或出現白眉毛，而女朋友或太太最近行動有異常的時候，則要提高警覺了。

「奸門有痣官非旺」，左邊奸門有癦是男性本身自己惹官非，右邊奸門有癦則是太太有腰骨痛及情緒病。男士若與一位風月場所女子結婚，此部位就會有癦長出來。你的性伴侶與他人有性接觸，就在奸門部有所反映，是不是此就是「奸門」取名的由來呢？

重疊眉

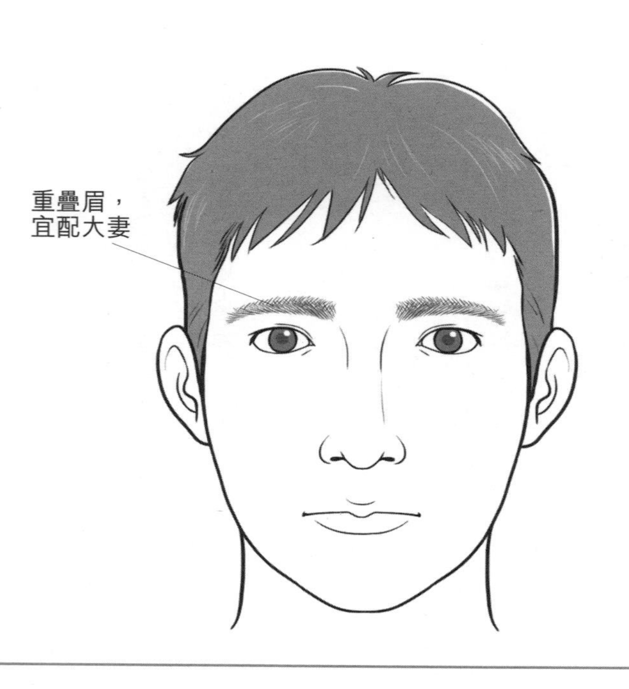

眉毛是兄弟宮，但有時用來看配偶，卻又是十分準確，所以我們要明白每一個部位的代表性與其共通性，學相才會有進步。

重疊眉者，宜配大妻。大妻者，年紀比自己長之謂也。很多男性未必能接受到妻子比自己年長，正如很多女性未必能接受丈夫年紀比自己小，但既然重疊眉現，最好順運而行，否則易不能一妻到尾，離婚收場。

重疊眉者，是下邊眉腳向上生，上邊眉腳向下走，交織而重疊，而成重疊眉，所以我們為人相眉的時候，要仔細看，不可輕率，錯過細微之處，影響論斷準確。

遇到重疊眉的客人，要先問他多少歲結婚，如過了眉運才結婚，則又不一定配大妻了，所以時間性很重要。換句話說，假若你的女朋友年紀比你小，而你們又兩情相悅，最好是待眉運過後才走進教堂，可避此劫。

如在額運已結婚，就要留心在通關運之年離婚。通關運者，即十三氣勢之部位，例如二十八歲（印堂）及四十一歲（山根）。

另外，我在雲流法篇（見136頁）曾提及「三十六歲看鼻」。如果鼻樑起節，顴骨陷落，則如果二十八歲不離婚，到三十六歲亦難逃此劫。由於顴骨下陷，欲再婚的話，起碼亦要在四十七歲以後。

還有，識限運是三十三歲、三十四歲、三十七歲及三十八歲，這些流年亦要小心。

看相就是用這方式來看，加加減減，綜合運用。相學是加減法，玄妙就在此中。

牙齒當金使

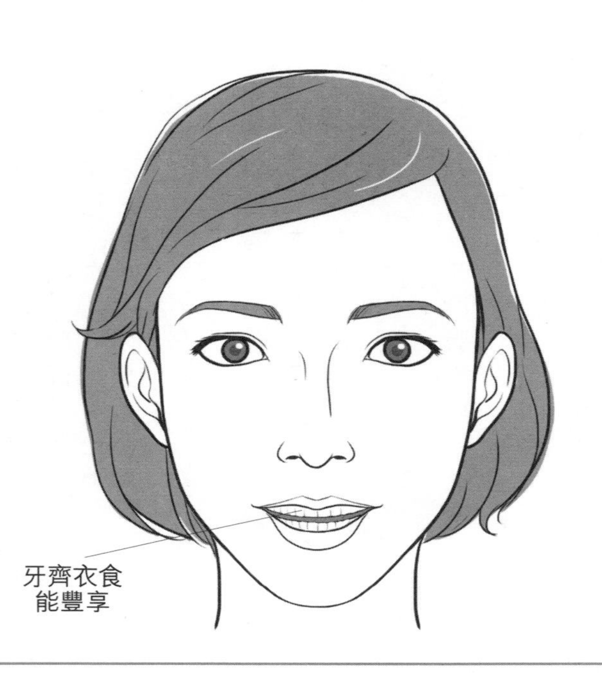

俗語説：「牙齒當金使」，是指人言而有信。説這句話的人，定必是相學高手。

「牙」，在相學而言，是「忠信學堂」，是代表一個人之「信用」、「口齒」。所謂「何知人家心偏曲，齙牙缺齒黃面目」，齙牙缺齒的人，心術不正，自是言無信了。

常云：「口齒伶俐」，所以，牙亦與一個人是否懂得説話有關係。

「説話時露牙齦」是一個不能保守秘密的人，所以，傾訴心事秘密時就要懂得選擇對象了，免得叫他/她不要説的一句話，也會幫你公告天下。不單如此，他／她還是一個「是非大王」，閑時好說人非，唯恐天下不亂。

假若他／她口形不正、雞嘴耳，更是一個口沒遮攔，凡事好爭辯的人，如聘請一個這樣的秘書，請想像後果會如何！但有人會說：「吹皺一池春事，干卿底事？」我喜歡如此收料與放料，那你的選擇就完全正確，因相學之運用，存乎一心。你真是「知人善任」了，世事無絕對，只在乎你用得對不對。

人中長及人中鬚寒的人，一生人喜歡好管閑事，人稱「街坊保長」，就是這類人，若再加上牙齦露，更是「箇中高手」。

在民政事務處工作的朋友，當你們要為大廈籌組互助委員會或業主立案法團的時候，如能找到這類特徵的朋友幫手，定必事半功倍。同樣道理，社會服務機構在尋找義務工作人員之時，亦可朝這方向找人，定會得心應手，這是將相學帶到生活上去活用的最佳寫照。

牙除與信用、是非有關外，亦與衣食有關，所謂「牙齊衣食能豐享」，很多明星都會將牙拔去，重新鑲回，當然，如能大紅大紫，衣食真是無憂了。

白眼

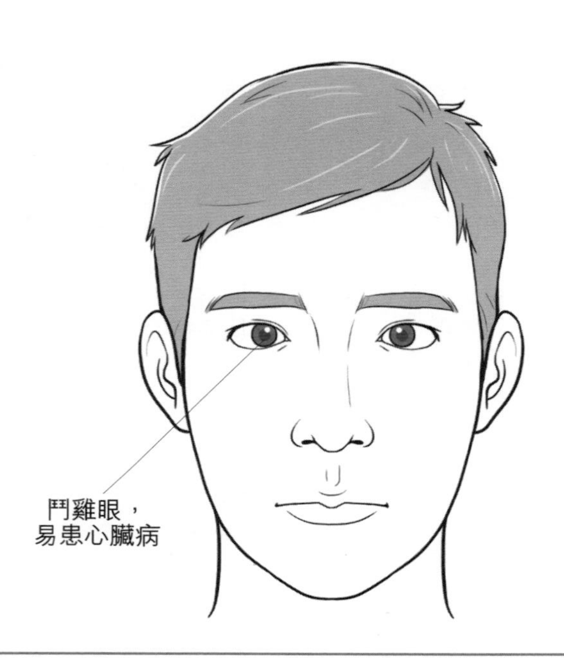

所謂「白眼」，不是遭人家白眼，而是自己的眼睛露白，「眼白白」發生很多問題而不知醒覺。「大夢誰先覺，平生我自知」。有誰先天下之知而知？

眼睛露白者，可分為一白眼、三白眼及四白眼，全部都屬於不吉利之眼形。

一白眼者，是眼瞳移放在一邊，有如像鬥雞，即所謂「鬥雞眼」，此人會有畏高症及患心臟病。

三白眼則分上三白與下三白。因眼瞳下沉，上白盡露，共有三邊，故稱上三白；而眼瞳上升，下白盡露，亦有三邊，故稱下三白。無論上、下三白，此人皆是靠不住，而心臟亦有問題。

「四白眼」者，是其眼睛在中央而四邊皆見露白，主白癡、刑剋、意外、畏高及心臟有病。

眼睛露白者不妙，但瞳孔被遮蓋者亦屬不佳，此謂之「半罧眼」或稱「凹盅眼」，就是指眼皮下垂而遮住半邊瞳孔，手腳會被刀傷或被針穿過，做車床或車衣女工者，有此眼形就要特別小心。如左邊「半罧」就右手、右腳有事；右邊「半罧」則左手、左腳有問題；如雙眼都是則四肢都會受傷，最宜自購意外保險，以保萬一。

相學者，是活的學問，要結合實際生活運用。如有「白眼」者，就不應選擇高空工作或駕車之行業。有「半罧眼」者，則不應在五金、車床或製衣的行業工作，這就是「趨吉避凶」的靈活運用。另外，還應購買「意外保險」而自保，但從事人壽保險的朋友就頭痛了，究竟接受他的投保與否呢？給你一點小提示，問一問年歲便可以作出決定了。視乎他過了眼運與否，以及曾否有此「應數」。

兒女福分

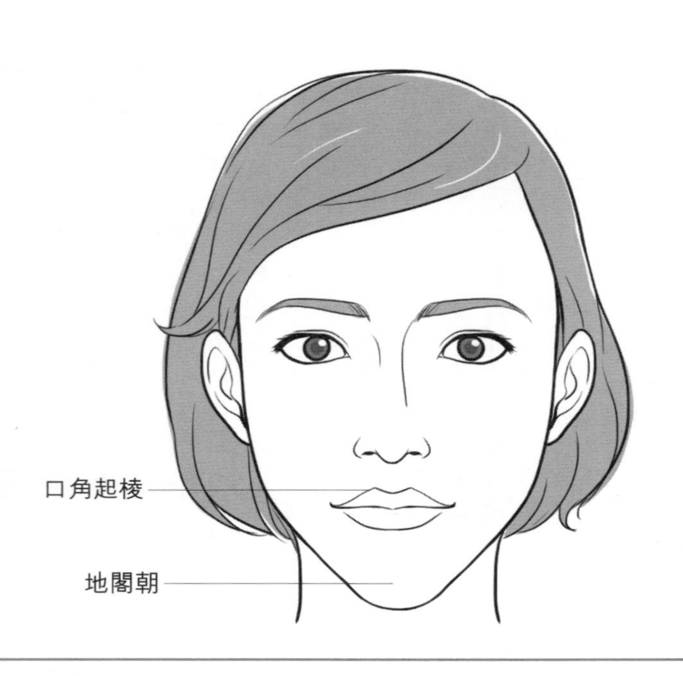

老人家常常掛在嘴邊：「老來從子」，究竟是否每個人晚年都能得享兒女福分，

就得照照鏡，看看面相上有沒有如此特徵，如果沒有，恐怕要從今天開始，努力工作，積穀防飢，而不是養兒防老了。

「地庫水星係年老倚向，行埋地閣都係晚景韶光」。水星是指口；地庫是在下唇凹進去的部位（承漿）的左右兩旁；地閣是承漿對下，凸起呈倒三角形的地方，俗稱下巴也。這幾個都位都是在下庭，代表了晚年的運程。

我們是南方人，如果地閣長、地閣

朝，即微微向前之謂也。「下巴兜兜，晚景無憂」，是有沒有兒女福分的一個重要指標，縱然沒有親生兒女，都會收養乾兒子、乾女兒，而享兒孫福分。

至於兒女能否成材，出人頭地，則要看口部上唇之棱角邊是否明顯與無缺，所謂「口角有棱」，就是上唇似「棱角」的樣子，兩邊口丫角是微微向上，中間微凹，但線條分明，如是者則兒女都能成材。最重要還是「燕頷」要飽滿，「燕頷」者，好像燕子般將食物含在口中餵飼雛燕，即雙下巴也。如燕頷飽滿，則兒女皆有「反哺」之心。

「口如吹火，晚年孤燈獨坐」，在口形而言，從側面望過去，好像脹起腮部，嘴部向前伸，如吹蠟燭的樣子，這類人性格孤僻，剛愎自用，很難相處，兒女多不會承歡膝下，甚至妻子也不能忍受，拂袖離去，孤單終老。

「懸針破印」者，亦不能享兒孫福分，縱然兒女孝順，他亦可能要在老人院或療養院，孤單地走完人生的最後一段路。

「相」妻

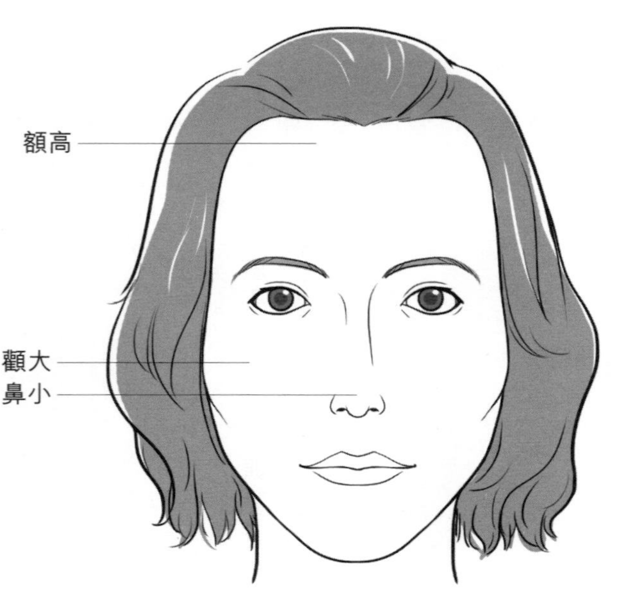

「相睇」的時候，要懂如何「相」妻，方能不會錯結良緣，遺憾終生。

女性能不能旺夫者，是看三個部位，看額、看鼻、看顴，當然，亦不能忽略她的眼神。眉主性，眼主心也。

顴者，權也。

女性以鼻為夫星，亦即是代表你。假如女性顴大鼻小，顴來欺鼻，即是妻奪夫權，她永遠「食」住你，除非你願意將話事權拱手相讓，懶得操心，樂得逍遙，衣食住行一切有人替你細意作安排，像《笑傲江湖》中的令孤沖就另當別論。但一般而言，女性以顴鼻相襯為宜，大小適中為度。

顴除了不宜過大外，顴還不宜高、不宜露及不宜橫生，否則亦有刑剋之象。「女子顴露而聲雄，七夫不了」。

女性無顴又如何？女性無顴，是代表老公無運行。假如你是從商，而太太沒有兩顴襯托，就不能當「事頭婆」，亦即表示她嫁了你之後，你的事業易失敗，所以女性無顴亦非佳相。

女性的鼻宜直、圓潤豐滿、鼻頭有肉、鼻孔不露、鼻樑沒有起節，亦無紋破，就是一個合格之鼻，最起碼是對你沒有傷害。

女性的鼻不宜太高，否則名為「孤峰獨聳」，太過自我，反主孤獨。

接着便要看額了，女性之額不宜太高及凸出，額以平滿無痕、光滑如豬肝者為佳，「顴高額高，三夫不止」。額如豐隆太過則變成額凸，從事夜總會等行業之女性多有此額，故是否選擇此類的女性為妻就悉隨尊便了。

最後，你可能會關心生兒育女的問題，「顴眉相爭，眼神虛浮是為子女不發」，你可以觀察她的眉骨與顴骨是否看上去有互相壓迫的感覺，而眼神是否似睡眼惺忪，如果是的話，她生孩子便會有問題了。

私隱

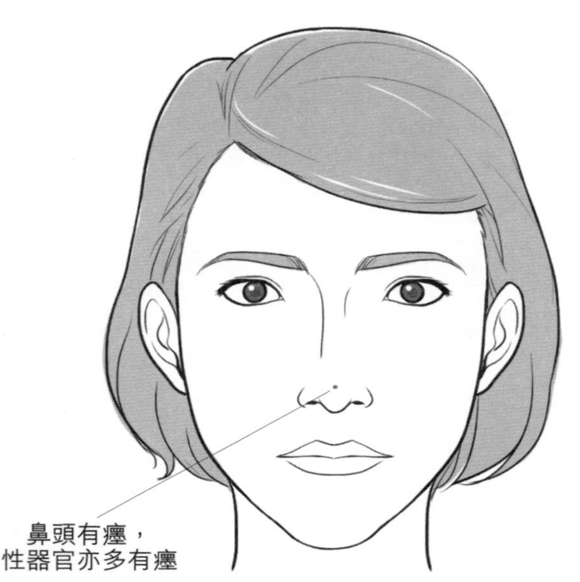

「有諸內必形諸於外」，懂面相者，除了能窺探人家內心的秘密，還能得知對方隱蔽地方內的一些特徵，故學相者，必須要有口德，不可在公眾地方説三道四，令對方難堪，縱然要求證，亦要説話婉轉，總要給人下台之階！

女性的鼻翼闊大，胸部就大；鼻翼窄小，胸部就小，這是正常的生理狀況。

反之，如果鼻翼小而胸部闊大，則可衡量她是否做過整容手術呢？有些「舞小姐」只不過是裝胸作勢，望她鼻翼與胸部之比例便無所遁形的了。

還有，眼的距離闊，胸部的距離亦闊；兩眼距離窄，胸部距離亦會窄，這兩處亦應是合乎比例的。

左眼有瘻，左邊胸部亦有瘻；眼尾有痣，腋下亦有痣。

鼻上有瘻，性器官亦多有瘻；頭髮內有瘻，恥毛內亦多有瘻。

左邊法令有瘻，右手、右腳就會受傷，留有疤痕；右邊法令有瘻，則左手、左腳就會受傷。

山根有瘻，此人有痔瘡，瘻形惡者，更有痔痛，苦不堪言。

懂面相者知悉別人有以上特徵，千萬不要在人前高談闊論，免得人家嬲你也不知。

常言道：「在不同之場合，講不同之説話」，對人亦應如是，在不同人之面前，應説不同之説話，應避重就輕，免得「傷人之痛，以存口德」。

留鬚秘訣

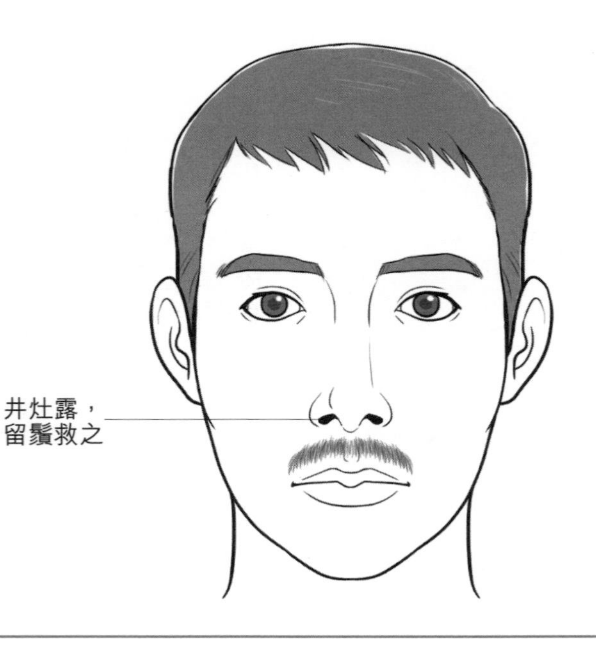

「巾幗勝鬚眉」，但你可否知道，由於女性沒有鬍鬚，就失去了一個補救運程的方法，而讓男性獨享這個專利？反過來說，男子「面白無鬚」，在相學上是一個不可靠的人，女士們千萬不要被他的甜言蜜語所蒙騙啊！

相信很多男士留鬚的原因，是為了「有型」或「美觀」，但他們大多都不知道，留鬚是「相學」上一種解拆面相有缺陷的妙法，運用得宜，可扭轉乾坤。而留鬚亦有一些禁忌，不可不知，現分述如下：

適合留鬚之五個原因：

（一）井灶露，留鬚救之

(二)口角無稜，留鬚救之

(三)法令不明，留鬚救之

(四)虎耳不明，留鬚救之

(五)地閣不朝，留鬚救之

第一點，由於鼻孔露，沒有遮攔，主虛齡四十九歲及五十歲會有破耗損財，甚至破產，故可於四十八歲開始留鬚，以擋此劫。

第二點，上口唇近仙庫、倉庫及祿倉之邊沿線不明顯，會影響五十一歲至六十歲之運程，故要在五十一歲開始留鬚。

第三點，「法令不過口，不過五十九」，如法令紋不明顯，而又沒有開刀動過手術，則應在四十八歲開始留鬚自救。

第四點，虎耳是在耳近上下顎的開合之交界，如此部位凹陷，主五十八及五十九歲之運程有問題，亦應留鬚自救。

第五點，地閣不朝或有缺陷，主晚年之運程欠佳，亦可留鬚救之。

但留鬚者要注意三點：第一，不可被髯鬚困口，否則「坐困愁城」。第二，不可讓鼻毛觸及髯鬚，是土來剋水。第三，不能被髯鬚生上顴，會是非不斷。切記，切記。

總括而言，鬚可以留，但不宜早留，要在四十八歲後才可以留，早留無益也，只會妨礙運程。但要留到過了六十歲才可以刮掉。

螣蛇入口

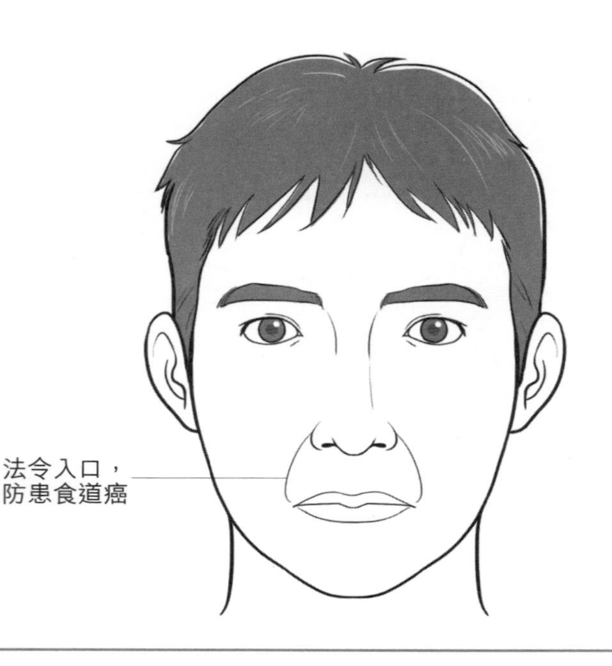

「法令入口，鄧通餓死野人家；螣蛇鎖唇，梁武餓死台城上」。螣蛇其實是指法令，如法令入口，則主該人會餓死。在今日經濟富裕的香港社會，因缺乏食物而致餓死者，相信亦甚少見。其實螣蛇入口還有一個意思是，不能進食而致死者，例如患有食道癌者，根本不能進食，或食則吐，營養缺乏，身體抵抗力不足而終致死亡。

「螣蛇入口餓到眼光光」，應理解為咽喉、食道或消化系統患有毛病，這方為正確，由此例子可見，讀書應活用，不能一本通書讀到老也。所以理解古人口訣時，要嘗試從多個角度入手，方能有所裨益。假若兩邊法令入口，就會有食道癌。

法令除了提示一個人所患何病，還提供此人身世的答案。雙重法令的人，有機會是過房養大的，意思是他／她現在的父母只不過是養父、養母而已。法令內短而外長，是過房給外姓人，內長而外短則過房給族內之人。

再看看其人手掌上的感情線有否斷開、額角有否旋毛，所謂「黃毛額角旋，父母早不全」。黃毛額角旋者，是指在額內叢生的雜毛，請大家撥起頭髮一看便知有沒有了。假如兩者皆有齊，此人便是過房養大的了。除此之外，雙重法令亦提示此人有兩份職業，

除正職外，還會有副業，所謂「秘撈」是也。而法令紋開叉，亦可以兩份職業而論之。

如法令有斷開或橫紋破之，則流年五十六歲、五十七歲會有挫折失敗，事業、聲望與地位皆受到沉重的打擊。

法令紋有瘻，表示手腳曾經折斷或受傷，左邊法令有瘻，則右手、右腳會受傷；右邊法令有瘻，則左邊手、腳有破相；兩條法令都有瘻，則四肢皆受到損害，最重要者，法令有瘻的人是送不到父母走最後的一段路，即俗謂不能「送終」也。

一生都被人揾笨

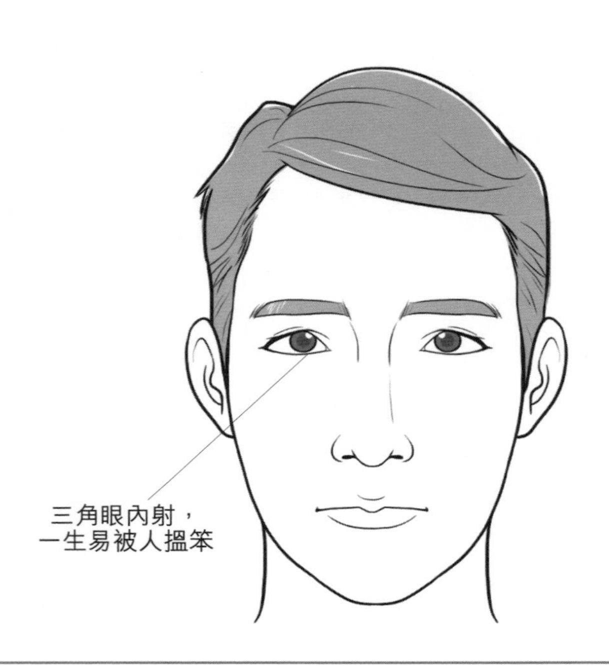

在人生當中有多次被人揾笨經驗的人，多有一個共同特點——內射三角眼。

三角眼有「內射」與「外射」之分。內射者被人揾笨，而外射者是一世揾人笨，你願意成為何者呢？

三角眼者，是眼形呈三角之狀。

外射的意思是眼神鋭利，兇狠而露，有此眼形與眼神者，常會揾人笨，「黃皮樹了哥，唔熟唔食」，但上得山多終遇虎，會惹牢獄之災，加上如有橫紋插入眉內，必有此應，所謂「何知獄厄有災難，但看眉間有斜紋，一紋一度入獄內，二紋二度入牢危」。

如有數紋插入者，可能為獄中常客，終生與牢房為伍。

還有，眼瞳（瞳孔）代表心臟，眼有凶光，好像有玻璃膠黐住雙眼，就一生常動手術開刀，眼愈凶，開刀愈多，而心臟亦有問題。

內射者，是指眼神不凶，慈祥而安定，有此眼形及眼神，一生常被人揾笨。如眉頭豎起帶殺，則三十五歲至四十三歲期間必被人揾笨，如做生意者，則破了產才過四十四歲。

破解的最佳方法是，在行眼運的期間，即三十五歲至四十歲及四十二歲與四十三歲，前後總共八年戴眼鏡擋殺，又或者行善積德，修心養性，知有此劫而小心提防，戒起貪念，或可避過此劫，所謂「相由心轉而改禍呈祥」。

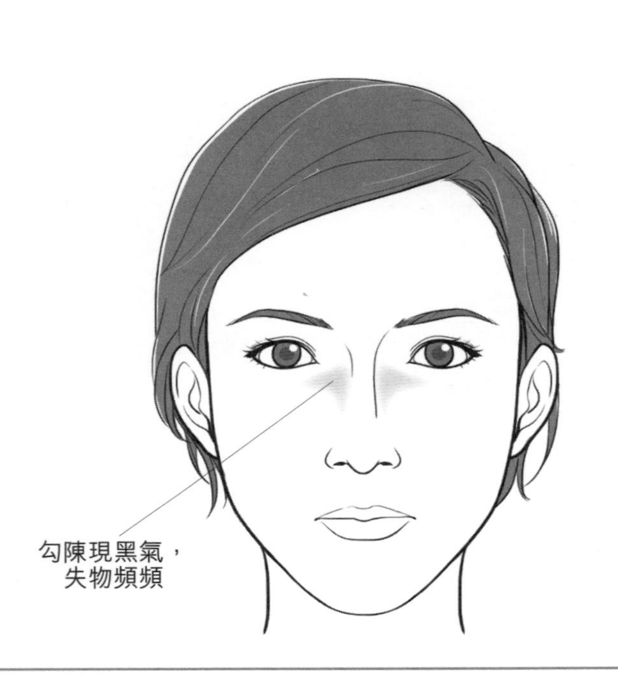

失物

人家說「出門遇貴人」，你卻「出門遇盜賊」，何解也？氣色不佳之故矣！

「何知人家常被賊，但看雙岳如煙黑」，又云：「何知人家遭劫盜，赤脈地位常乾燥」。

雙岳者，指兩顴；赤脈者，亦是指兩顴，原來顴之氣色與被劫是有密切之關係，當顴的氣色出現暗滯瘀黑的時候，就要提高警覺。

顴除了與盜劫有關外，亦與健康息息相關，在女性的顴上出黑斑點，不是小心自己的健康，而是要小心丈夫的身體，所患的會是肝病，嚴重者會是肝癌，不可不慎。

很多女士都很「大頭蝦」，經常會遺失物件或證件，似乎是很正常的事，但如自問平時很謹慎，但最近卻頻頻遺失物件，則必是勾陳部位出現暗黑之色，應嘗試自己多加按摩，黑氣自除。

勾陳在哪裏？戴眼鏡之人很易就找到正確之位置，就是「眼鏡托」觸及鼻樑之位置也。

但是如果你的田宅宮有癦，我則無法幫你了，只能將癦脱掉，或者購買家居保險，以防萬一。

田宅宮位在上眼蓋的地方，如果有癦，則主家宅會犯盜賊、火災或水浸。在男性而言，在左邊有癦，是自己家裏發生事故；右邊有癦，則是妻家出問題。在女性而言，右邊有癦是自己家裏被盜竊，在左邊則是老爺家裏失竊。

在風水而言，大門向星為七赤，流年飛星三碧飛臨，亦主被劫，且會受傷，而七赤為少女，三碧為莽男，少女更有被侵犯之危險，故大忌動土，宜養六條黑摩里化解之。

火燒中堂

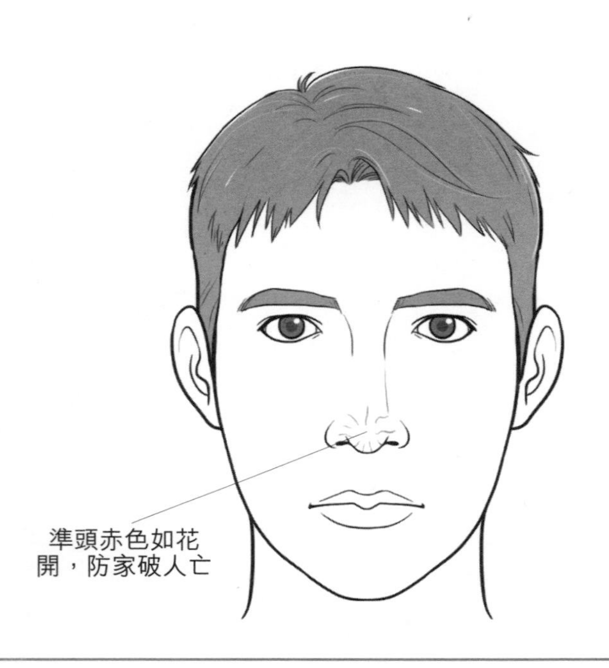

「火燒中堂，家破人亡」，火燒中堂是一種很壞的氣色。

中堂者，準頭也；火燒者，在準頭出現赤色如花開狀的氣色（紅到似啡就是赤色）。如此色浮現，是揮之不去的，故宜修心行善積德，改禍呈祥。

有一些人，有一條條紅色血絲佈滿準頭及兩邊鼻翼，此不是火燒中堂，而是叫做「酒糟鼻」。

男性有此鼻者，酒色之徒也。第一，此人嗜好杯中物，灼傷肺絡，而佈滿紅色血絲。第二，此人色慾很重，逢異性都合也。未婚者，多為歡場常客；已婚者，則喜金屋藏嬌，為風流之士。

「鼻色赤紅遭官責」，近日常常無緣無故被上司責罵，或頻頻接到政府之票控者，便要照鏡一看氣色了。

準頭的氣色，總以黃明色潤為吉，如黃明之氣，由準頭上達年上、壽上，貫穿山根而直上印堂，所謂「何知君子百事昌，準頭印上有黃光」，主有進財、升職、置業之喜事，快者十五天內應數，遲者一百八十天則應驗。

「何知其人主路死，滿面白色恰如泥」，額上有橫紋如蛇行地上，主客死異鄉或死於街上，兩樣結合一看，而氣色浮現，便應小心，訂了機票亦應改期。

「何知人家孝服生，但看喪門白粉痕」。記得有一次上課的時候，一位學生問我她的哥哥會不會有問題，我答稱氣色尚未浮現，故無可奉告，但由於她今年三十四歲，運行「識限」，無喜易見凶，便着她要小心。但一星期後上課，我看見她眼下隱隱出現白色如粉的痕迹，我告訴她家中會有喪事，她説她的哥哥剛過世。

所以，氣色是一門很玄妙的學問，要好好去把握，平日細心觀察身邊朋友發生之事，便可累積經驗，要謹記，氣色往往藏於細微之處，虛渺之間，培養直覺，就能把握。

轉角運

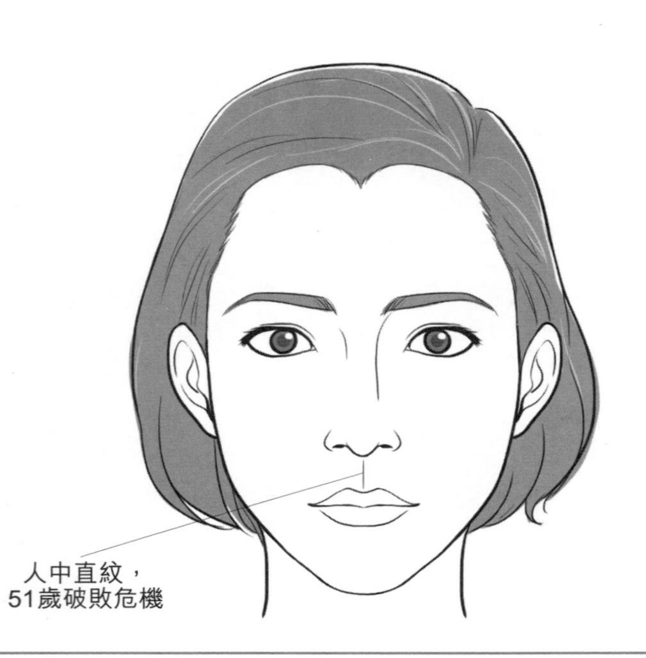

「山窮水盡疑無路，柳暗花明又一村」，絕處逢生，當然是可喜可賀，但樂極生悲，亦不能忽視，所以運逢轉角，皆不能掉以輕心。

所謂轉角，可以是從絕處轉向順景，亦可以是由順景走向壞運，所以「運逢轉角，提高警覺」，尤其是一直行好運的人，未必相信有大跌的一天，如沒有充分的心理準備，恐怕到時未必能適應事實的出現。

例如眼神不足、眼滯、眼露的人，在行眼運的六年當中（虛齡三十五至四十歲），會嘗盡苦頭，處處碰壁，正是「金劍已沉埋，壯志消磨」，幾乎什麼信心皆消磨殆盡，但如山根生得靚，一

踏入虛齡四十一歲，由眉、眼運轉上行顴、鼻，運起而驟富，平地一聲雷，則是謂「時來風送滕王閣，春風得意馬蹄疾」。到四十四歲正式行完眼運，如顴鼻相配的話，便可青雲直上。

鼻直有勢，準頭豐隆，鼻翼橫張有肉，沒有紋沖破陷（賺錢不賺錢，是看蘭台、廷尉是否橫闊有肉，不是看是否鼻大），顴亦無損，顴鼻相配，眼神足，則盡享十年風光，人生快事。

但如人中平滿、短狹、蜷縮，有直紋沖破，就暗藏五十一歲破敗與喪子的危機。五十一歲是一個「通關運」，是連接鼻子與口部的橋樑，人中亦像一條河流，將鼻子的氣運引入水星，但如鼻之氣運極盛，如將滔滔大江之水，引入平滿淺窄的小河、溪澗，能不造成氾濫？

「人中平平，子女難成」，人中平之人，相信得來之子女亦不容易，加以人中有直紋，人中者又名「人沖」，沖得過就平安，沖不過就將其沖走，故如不懂得在四十八歲時將「心肝寶貝」兒子送離自己身邊，恐有喪子之痛，兒子會死於車禍。請謹記，要到五十二歲才能將兒子接回身邊。

人中與子女

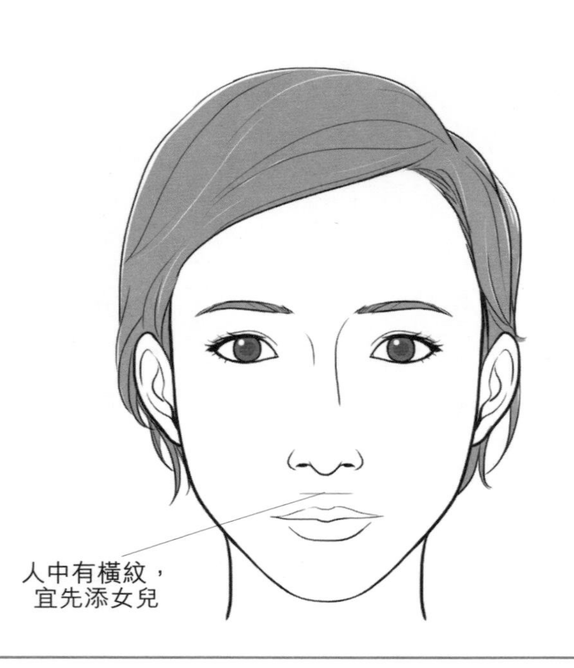

人中與子女的關係，非常密切，尤其是對女性而言，人中是代表子宮與產道，與生孩子密切相關。

人中有直紋（由上而下），代表長子難養。如果生第一個是兒子，他應該要在你四十八歲之虛齡離開你，例如出遠門讀書或工作，否則在你五十一歲時，他恐會有交通意外或其他危及生命之凶險，故你愈疼他，就愈不能將他留在身邊，讓他遠離自己，方是萬全之策。

讀者是否記得我提過，人中即是「人沖」，沖得過去就可以保平安。人中有直紋的人，切記，切記！

人中有一橫紋者又如何？如果生孩

子，宜先誕女兒為好，如果是兒子的話，則要將他過契於人或神，方可保孩子平安，但生女兒者不在此例。

如果希望收養乾兒子或乾女兒，則一定要先收養乾女兒，然後才可收乾兒子，否則就會出問題。如被收養者屬年幼的嬰兒或兒童（十四歲以下者），應先看他們的耳形有否崩缺或輪飛廓反，否則乃招惹煩惱而已！

「人中平平，子女難成」，人中平者，兒子運較差，比較難有兒女，縱然是有，亦以生女為多。

「肥婆腰窄乃係無兒相」，如再加以下七點，則沒有兒女機會很大：

（一）人中平滿
（二）口角無棱
（三）眼肚臥蠶暗黑浮腫
（四）尾指不過三關
（五）肩直
（六）肚臍淺
（七）手掌無兒女線

雙珠朝口

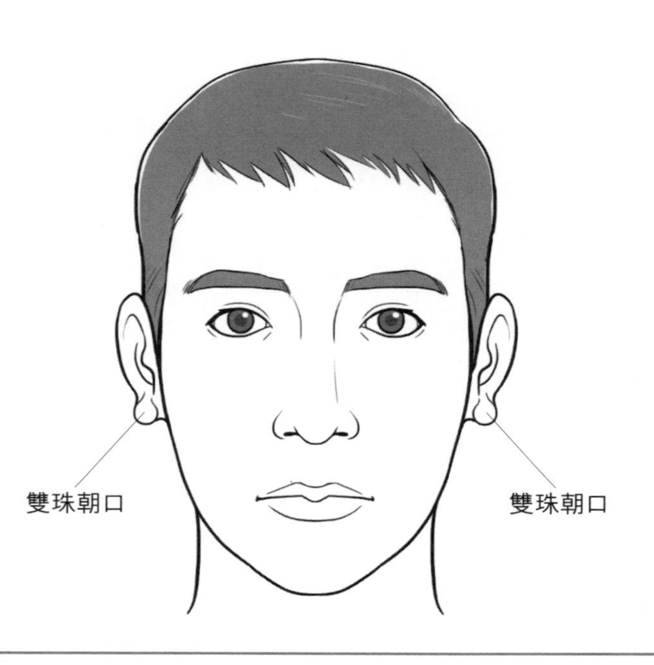

珠者，耳有垂珠也。雙珠，兩邊耳朵都有垂珠。朝口，耳珠微微向前，在前面看好像朝着口而來。

「雙珠朝口」的人，一生都有女貴人相助，逢凶化吉，靠女人發達，女性就是他命中的貴人。

故此，凡雙珠朝口的人，最宜選擇從事與女性有關的行業，例如珠寶首飾、時裝、美容等，必定如魚得水。假若你是醫生，亦應選擇從事婦科。

更奇怪的是，雙珠朝口的人婚後運程會突飛猛進，而第一胎如果是「女兒」的話，身為人父後運程會更進一步，但如果頭一胎是兒子的話，則運程會大打折扣，是破了雙珠朝口的格局，殊為可惜。所以「外父唔怕做，最緊要做得好」，反正日後可慢慢才追個男丁，只要頭一胎是女兒的便會應運而生了。

耳有垂珠、準頭有肉、眼光祥和的人都是佛性很重，與宗教有深厚的淵源，故此他的父母或本人都是有宗教信仰。你不妨留意周圍的朋友，當他們很虔誠信奉某個宗教，耳朵會慢慢長出垂珠來，這印證了「莫道有好心而無好相，相必從心轉而改禍呈祥」。

我們說：「一切唯心做」，是有道理的；反之，如「一切違心做」，則是禍福無門，唯人自招了。

雙珠朝口的人會有異地姻緣，我正是一個活例子，我與太太就是在台灣認識的。

口形小，即水星弱，會短命，或主六十歲虛齡之流年會有一劫，但如能誠心向佛或某種宗教（當然不是邪教），則雙耳之垂珠會慢慢長出來，形成「雙珠朝口護水星」，可避過此劫。

有一天，有一位客人忽然問我，雙珠朝口的人是否適合做「馬伕」，我突然間啞口，不懂得回答。

懸針破印

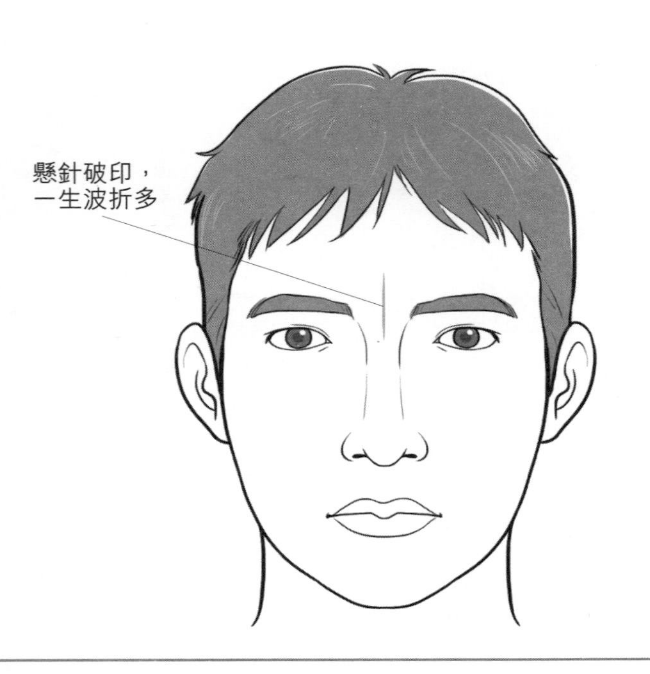

「懸針破印」是一條相當不吉利之紋，擁有它的人要提高警覺。

印堂主一生之榮辱得失，所謂「看相先看命宮，命宮生在兩眉中」，現在有一條紋來沖破終身之運程，故不能掉以輕心。

擁有此紋的人，性情多屬焦急與暴躁，缺乏耐性，由於平日總是皺着雙眉，久而久之，便會形成一條直紋，穿破印堂。

或是平日總是不開心的時間多，便會發覺有一點氣聚在印堂，日子有功，亦會形成直紋沖破印堂。

懸針破印的人主觀很強，處事手法比較固執，喜獨行獨斷。

不過，凡事有兩面，此類人的優點是，當他下定決心要做什麼事情，就會認定目標，集中意志和所有的力量，排除萬難，不達目的絕不罷休。

壞處是過於固執，剛愎自用，很多時不會採納別人的勸諫，一意孤行。嚴格來說，是極不通情達理，故人際關係很差，有時連家人也受不了他的頑固脾氣。

在婚姻方面，亦不盡如人意，十居其九都會離婚，女性更甚，刑夫剋子。

在健康方面，則要留心高血壓及血脂過高等心臟病之病變，可以的話，避免駕車，恐防有突然的事故。

由於二十八歲是一個很重要的通關運，故此懸針破印者一生命運都很多波折，失敗往往是突然而來。

更重要者，縱然擁有家財千萬，晚年亦難免隻影形單，孤獨終老。

凡事總有解拆之方法，擁有此紋的人，應誠心供奉觀音三年，可令此紋微微變彎而成福德紋，逃過此劫。更奇妙的是，往往會有人送觀音菩薩像予以供奉，所以懸針紋又稱「觀音紋」。

額上起三紋，少年無真運

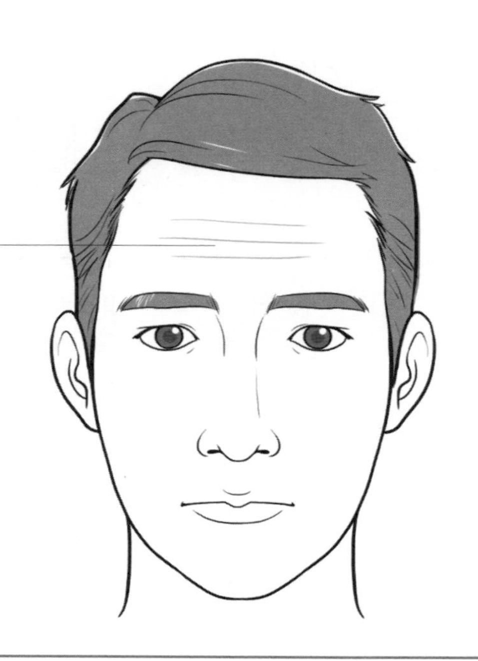

額是主管十五歲至三十歲之運程，是主少年及青年時的運。

額宜平滿，無紋破為合格，故此，如額上有紋破，少年運也不會好得到哪裏。

額上有紋如蛇行之狀，會有意外橫禍，死於街頭，此所謂「蛇行地上」也。故我們平日不要動口咒罵他人「仆街」，假若此人有蛇行之紋在額上，撞正口卦而應數，到時算在你的頭上，你便成了「白狗當災」，故做人要懂自我剋制，留點口德。

「禍福無門，唯人自招」，懂得相學者就知他的「橫死街頭」是冥冥中有數，但不知就裏的就會把帳算在你身上。

額上有三紋，形成一個☵坎卦之象者，就會犯水險。

額上有三紋相連，形成一個☰乾卦之圖像的人，則會刑剋父親，與父親的緣分較薄，父子感情不佳。

額上三紋，三紋中間斷開而形成一個☷坤卦之圖像者，則與母親關係不佳，或自小便被送到寄宿學校或到外國讀書，與母親相隔兩地。

另外，有些紋會構成一個☲離卦之圖案者，表示很有機會犯火險，總之，預先為家居或寫字樓購買火險是一個最聰明的安排。

當然，個人之意外或人壽保險亦應購買，因為怎知當時一雙腿跑得夠不夠快呢？如果是一碗滾湯照頭淋，根本就無得跑。

額上有紋而破官祿位者，是不適合當政府公務員的，立志做高官的朋友，考慮其他的行業吧！順勢而行，肯定會有較佳的發展。

一言蔽之，縱使你今天貴為總統，但額上起多紋，三十歲以前，都是虛花而已。

年少不羈

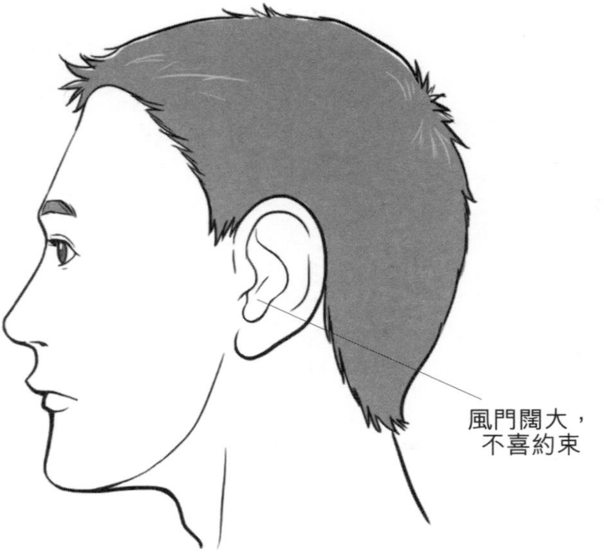

風門闊大，
不喜約束

因材施教，對培育青少年之成長極具指導作用，為人父母者要根據子女本身的性格而作適當的配合，不要將自己主觀的願望強加於子女的身上，效果只會適得其反，往往事與願違。

青少年很多是反叛不羈，但亦有不少是懦弱怕事，這在他們兒童時往往已反映出來，只是父母、師長及社工們未有加以留意，而作出適當之輔導。現在教大家如何從耳朵去觀察兒童的性格。

耳朵主宰一歲至十四歲的流年運程，故與兒童成長有密切的關係，不能掉以輕心。

風門闊的兒童，性格反叛，如脱韁

野馬，傲慢放縱，不喜約束，如父母不懂教導，只用高壓或根本沒有管教，沒有留心他們之成長，往往使他們誤入歧途。反之，如風門過於狹窄，則性格懦弱，即俗語所謂的「裙腳仔」。

總的來説，風門的闊窄以適度為宜，則子女便是易教、聽話，大體來説，女孩子以風門較窄為好，因為起碼不用「蝕底」。但風門過於狹窄，男女皆有同性戀之傾向，不可不知。

「對面不見耳，借問誰家子」。雙耳貼面的兒童，服從性比較強，是可取的。但過於緊貼，而幾乎不見耳的，則是逆來順受，不懂反抗的人，在商業社會而言，似乎只會吃虧而已。

俗話有云：「忠言逆耳」，其實「逆耳」者皆不聽忠言，雙耳兜風、輪飛廓反者，皆很難望他們聽教聽話。

「有教無類」，故為人父母師長者，對風門闊、雙耳兜風或輪飛廓反的兒童，都要用諄諄善誘、疏泄情緒的方法去引導，戒用高壓而取懷柔。反之，風門過於狹窄、雙耳貼面太過者，則應採用鼓勵激發的方法，去培養他們的鬥心。

藥無美惡，過則為災，慎之，慎之！

絕配

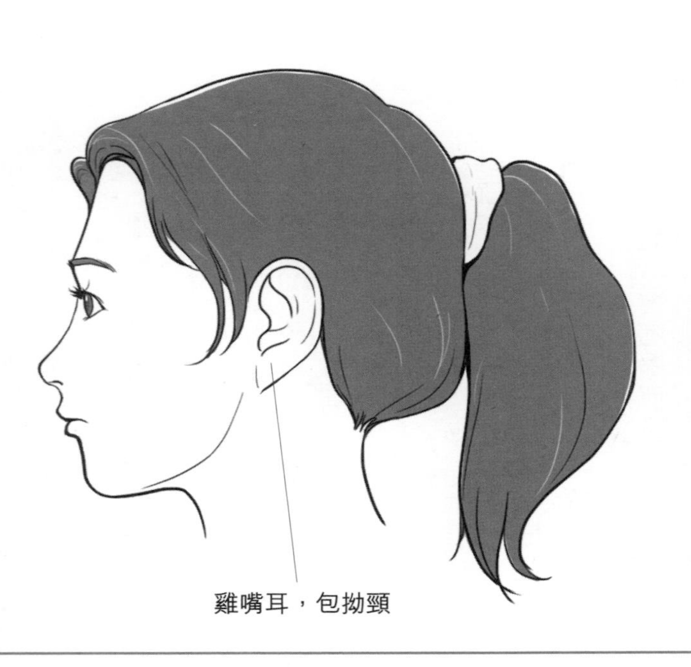

雞嘴耳，包拗頸

俗語有云：「一物治一物，糯米治木蚤」，或云：「石地堂對鐵掃把」，這就是絕配。原本應該是離婚的命格，但配上某一類型格的人，就可以到終老。

一些「巴咋」的女士原本很難嫁得出，但偏有一類男士見到她就如「螞蟻黐蜜糖」，果真是「天造地設」也。

第一種是「昂面姑娘配垂頭佬」，女性仰面是很難靠，婚姻多不利，一夫不能到尾。而男性垂頭而行亦同是難靠，所謂「步步垂頭乃是扭計大王」，是陰濕、深沉之人，偏偏「陰濕」配「惡靠」正好是一雙，此類配搭反能到尾。

第二類是雞嘴耳的女性配眉壓目之

男性。雞嘴耳是指沒有耳珠，而耳形是呈三角尖向下。雞嘴耳的特性是凡事包拗頸，喜歡爭辯，小事也鬧餐飽。又是俗語所謂「番邦燈籠，照遠不照近」，幫外人也不幫自己人那一類，但愈喜歡一個人就愈啄住那人唔放，非常黐身及麻煩，相信很多人遇到都避之則吉。但偏偏「眉壓目，眼皮冚眼核」的男士卻很受這一套，所謂「眉低壓目神無壯，帶埋藤條跪妻房」，這一類男士自信心不足，有「季常之癖」的男性與「雞嘴耳」的女性配成佳偶，真是一個願打，一個願捱也。

第三類是川字掌的女性配「行船佬」。川字掌是指頭腦線與生命線明顯分開，在掌中形成一個川字。此類人獨立性強，過於主觀，難與人相處，故婚姻多不美滿。但如果她嫁予一個海員或經常到外地工作的人，雙方聚少離多，磨擦減少，反而婚姻能夠到尾。所謂「行船佬」，多是鼻小，蘭台、廷尉昂起，山根低，兩個額角特別高，就會一生漂泊在外，甚少回家。他與川字掌的女性可算是天生一對。

第四類是風門闊，最宜配風門窄的人，一個脫韁野馬，一個墨守成規，亦是絕配。

大話精

門牙不全，
誠信不足

在現今商業社會，懂得判斷一個人的説話是否可靠，是非常重要的，因為一個商業決定，銀碼上落可能很巨大，況且，能夠觀人於微，對於聘用僱員時都會有幫助，相信沒有僱主願意見到僱員的誠信有問題，全部都是大話精。當然，可能某些行業是職業需要則無話可説。

「何知人家心偏曲，缺牙齙齒黃面目」，牙為忠信學堂，主誠信之事。

俗語亦有云：「講大話，甩大牙」，故此一個人牙齒殘缺不全，或齙齒，或形狀古怪而牙齒色澤偏黃者，則首先要對此人之誠信打個問號。

「眉為性，目為心」，有諸內必形諸於外，這個外者就是現於眼神。凡一個人說話時，眼神閃爍不定，左顧右盼，從不正視對方，有此兩點，基本上已是一個「大話精」。

再看看他的尾指是否很長，長的意思是看看是否超過無名指之第二節，尾指特長的人，善於辭令，雄辯滔滔，是外交與律師之人材。

尾指主腎，腎主骨，骨生髓，髓充於腦則為腦髓，故尾指特長的人，其腦髓特別充盈，腦筋靈活，善於思考，用諸正途，當然是一位人材，但眼神不正，其心已歪，用於「精面」，為禍更烈。

因此，單看一個人的尾指，不要妄下判斷，但結合眼神和牙齒後，則可思過半矣。

另外，人中是連接鼻與口之通道，人中彎曲，其傳達信息有問題，可能出現口不對心之現象，故此，對於人中彎曲者之言，亦需三思。人中生得直，為人正直，人中彎曲，說話亦會扭曲。

南人生北，北生南相

讀者有沒有發覺，由於氣候、食物、地理環境、文化風俗的不同，各地區的人，容貌都會有點不同？

「百死取其一生，眾同求其獨異」。假若一個南方人而擁有一個北方人的面相，就是眾同求其獨異，「南人生北，非富則貴」。

同樣道理，「北生南相」，一個北方人而擁有南方人的面孔，亦是非貴則富。

所以，相學認為「十清一濁」就是破格，「十濁一清」就是入格，就是「眾同求其獨異」的道理。尋龍點穴，亦是眾同求其獨異。

「南以天庭，北以地閣」，天庭是指額頭，額頭代表南方；閣者是指地閣，下巴之部位也，以地閣代表北方。

如果各位有留心觀察的話，南方人普遍的額頭是高聳，或額頭生得比較靚，所以如果南方人的額頭生得好，是基本之條件，是應該的。但是如果他的下巴生得靚，即所謂地閣朝，「下巴兜兜，晚境無憂」，就是「眾同求其獨異」，當然，下巴兜兜只是其中一個必要條件，是不足的，要加上此人「形格」必定要似北方人，這就具備了必要條件，此人走到北方去發展，事事遂意定可預卜。

同樣道理，北方人的地閣多是生得不錯，假若他的額頭生得好，整個人亦似南方人的樣子，他不作聲時，別人亦會用當地方言與他溝通，就是「入型入格」也。

但無論南方人抑或北方人，假若下巴生得不好的話，晚境都是不佳。「何知末年敗郎當，看他決定無承漿」。

一理通，百理明，假若你的相格似法國人，自應移民往當地發展。當你在街上跑時，有菲律賓人用菲語與你溝通，你應考慮菲律賓為你的第二故鄉了。

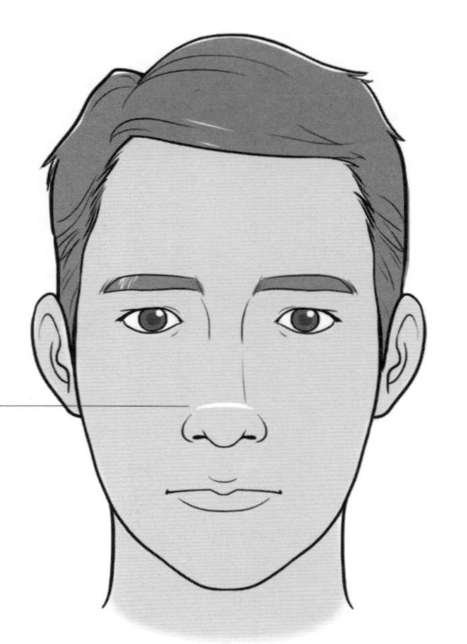

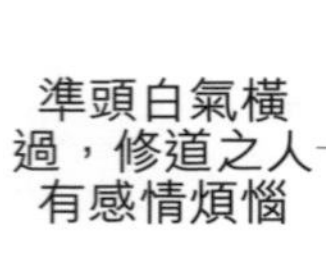

觸機

掌相、八字、風水、姓名學等都是玄學，玄者玄妙也，似有像無，故要把握靈感去觸機，才能深化推斷準確。

機者，機緣也，機緣巧合是稍縱即逝的東西，我們平日就要培養這種觸覺。

客人與我們素未謀面，他／她坐下來時給你第一眼的感覺就是最真，亦是最重要，「何知僧道有高名，必是古貌與神清」，知道他是一位修道之人後，留意他的眼神，是眼定定，眼有積淚，笑容苦澀，鼻樑上有白氣由左向右橫過，他問事的方向，你大致也了然於胸了，是一位修道之人有感情之煩惱。

還記得有一天我去焗桑拿，同行者

笑問我能否推測「掹骨者」的姓氏及生肖，我說可以一試。當天是「子」日，我的生肖屬豬「亥」，「亥、子、丑」會局，「子丑」相合，推測她是土字姓氏，例如黃、張、周、邱、羅。原來她真的是土字姓，是姓張。掹骨者幫我掹骨是剋住我，我才會被掹，所以她的生肖及當天的「日子」必定剋住我的生肖，姓張者屬土也，辰、戌、丑、未皆屬土，但「辰子」合、「子丑」合、「亥未」合，餘下只有戌沒有相合及剋水，故推測她生肖屬狗，果然言中。

有時，甚至取一個姓名亦能推斷該人之事。有一天，我邀請電視藝員李道洪先生到課堂給掌相班學生作一個實習的機會，堂上就用他的名字作推斷，「李」字，上木下水，子者屬水，洪者亦屬水，木為自己，水為「印」星，有兩點水，即有兩個母親，事實果然如此。

這就是觸機的一種方式，只要將術數混合使用，什麼事情也可以推斷出來。我現在將多年的心得公開，希望學者能善加運用。

如果讀者有興趣可購買拙作《子平八字命理》，內有很多觸機的例子。

毛髮

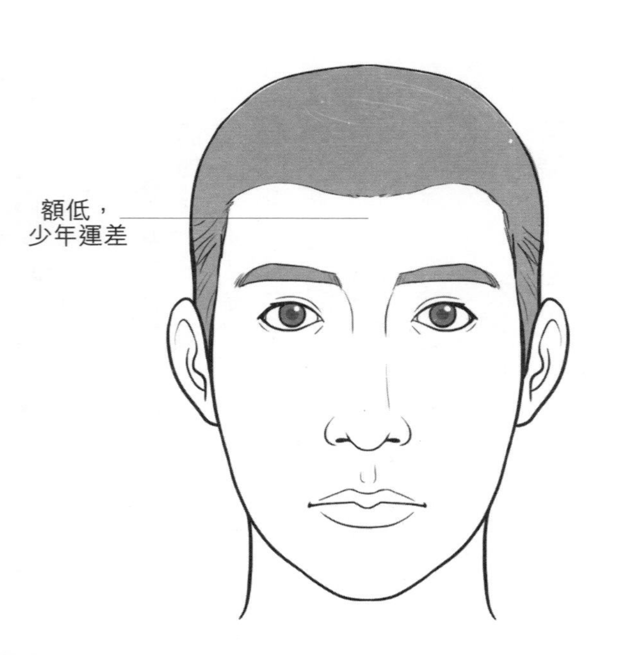

人之相格分為五型，分別是金、木、水、火、土。

金型色白聲清響；

木型髮粗指如槍；

色黑頂平為水相；

頭尖屬火；

土帶肥黃。

毛髮屬木，所以木型格局的人，適合毛髮粗壯及濃密，方為入格。但土型之人，則大忌毛髮粗壯及濃密，是為木剋土，破格。所以木型之人最忌甩頭髮，而土型之人則不怕。

頭髮代表一個人的個性，毛髮粗壯濃密是命硬及勞碌；反之，毛髮幼細、柔軟則一生較為清閑。

「何知享福又清閑，看他兩腳毛多生」，男性腳毛多，生活悠閑，但如無腳毛，則易惹官非；女性無腳毛是性慾強，太多腳毛則是辛苦命，總以適度為佳。

女性忌手背有毛，是心狠手辣之輩。

髮為血餘，光澤而柔順，則身體健康。色澤灰暗、易折斷，則多病及刑妻。

髮易折斷，是血不足，在九歲之前髮容易折斷，是血液出現病變，應檢查身體。成人後則小心肝臟出問題。

頭髮黃色，早年妨父母，中年刑兄弟、妻子，晚年則刑子女，黃髮亦主健康不佳。

白髮、髮稀疏，勞心勞力，思憂過度，宜與妻聚少離多。

黃髮、白髮、髮易折斷皆小心肝病。

髮生得低，形成額低，主少年運差，亦間接反映父母運差。如髮生得高，形成額高，無巖巉缺陷、紋沖的話，開運早，少年運佳，而父母運亦佳。

髮濃、無鬚、眉弱，稱為「羅漢面」，孤寡之象，會出家為僧。

相隨心滅

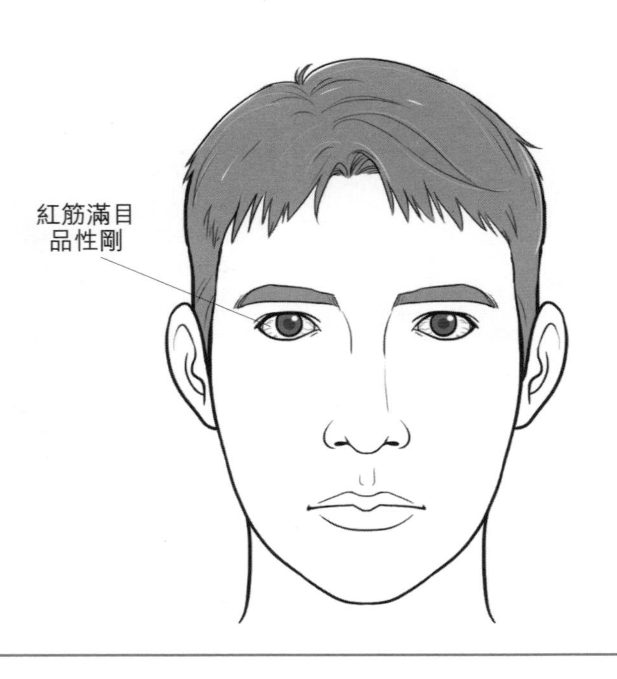

「有諸內，必形諸外」，這是相學的中心思想，如被推翻，相學就無立足之地，所以，這個論據是十分重要，如被攻破，相學可以從此煙沒人間。

剛好，這個立論與傳統中醫的「臟象學說」同出一源，一脈相承。「臟象學說」認為有諸內，必形於外，五臟六腑之病變，皆可從面部反映，例如肝開竅於目，腎開竅於耳。

中醫指出，紅筋滿目是肝火盛，耳的顏色暗黑是主腎有病，正正和相學的觀點互相呼應，相書有云：「紅筋滿目品性剛」，不正是說明肝火盛的人脾氣會比較暴躁的嗎？「何知人家漸漸貧，面如水洗耳生塵」。生塵者，是朦朦暗黑之色也。此句並沒有直接指明患腎病，但可以知道是長期患病，消耗金錢而家境漸漸貧也。

中國名老中醫朱春良先生，在他的大作《醫學微言》中指出，他曾以數百例病人作觀察，肝炎的病人多滿眼紅筋，經治癒後的肝炎病人，眼內的紅筋都會同時消失。還有，人中部位與女性的子宮及男性的泌尿系統亦有相關，當病人經治愈後，人中上的青色或黑色亦會同時消失。另外，上海中醫藥大學亦曾做過一個研究，證實人中的長短、偏斜、深淺、蜷縮皆與女性子宮的病變有關係，可作為臨床診症的指引。

發明X光只是近百年之事，但我們的古人，早在二千年前已知憑外面的觀察，而知內裏的事物，可算真正「觀人於微」。

「有心無相，相隨心生，有相無心，相隨心滅」。莫道有好心而無好相，相必從心改而轉禍呈祥，所以，我們就要從今天起，各自「修心」。佛家亦有云：「即身成佛」，意思就是說能改變自己的思維，就能成佛。

「知行合一」，你亦會變成「大頭佛」。

「骨」氣

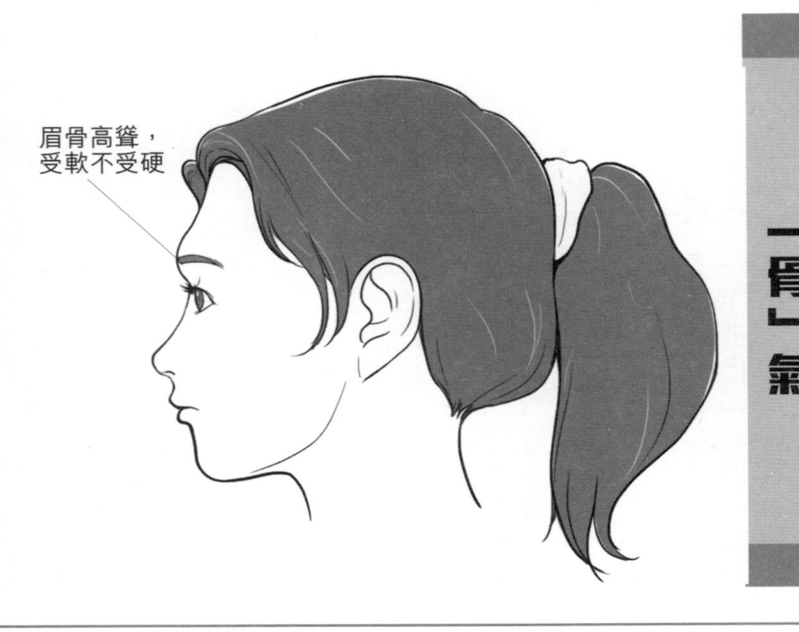

「橫眉冷對千夫指，俯首甘為孺子牛」，這大概就是所謂「骨氣」，究竟在相學上，這種「骨氣」是在何部位看出來？

「眉為性，眼為心」，這類人的眉骨是特別高聳，尤其在「羅喉」、「計都」（即左、右眉頭）之位有肉拱起，這類人受軟不受硬，帶點抱負與傲氣，所以遇到此類下屬時，一定要動之以理，不能來喝罵這一套。眉骨聳再加以掌硬和耳仔硬，更是對「理想」有一份執着與堅持，慷慨就義，拋頭顱，灑熱血，正正是他們的寫照。「落紅不是無情物，化作春泥更護花」，社會的進步，可能是缺少不了這人類所作出的貢獻。

「骨主貴，肉主富」，「骨主名，肉主利」，所以相書有云：「鼻直為貴，鼻厚為富」，骨格清奇，在現代社會來説，就是好睇唔好食，有名而無利。面厚有肉，腰圓背厚者，反能富甲一方，當然，兩者兼備，則是「富貴雙全」。

「骨」起雖主貴，但腮貴起則不敢恭維，「耳後見腮」背信棄義，無情無義之人。聘用營業代表時，即俗語謂「行街」，最好能保守一點，招攬心腹之時，更應該留意眼神端正與否，不然的話，只是放一個計時炸彈在身邊而已。

鼻總以高、直、肉厚為宜，女性如鼻樑尖削無肉（即年上、壽上之位置），名為「劍脊鼻」，是刑夫之鼻也。

所謂貴者，亦要有肉微微包住，否則就是「露」，露者，暴露也，為相學上之大忌，顴者，權也，顴露，則權力外露，被架空之象，不能掌權也，額上有紋破，則更被親戚朋友所累，各位還記得有一位歌星被迫要幫兄長還債嗎？

「相」聲

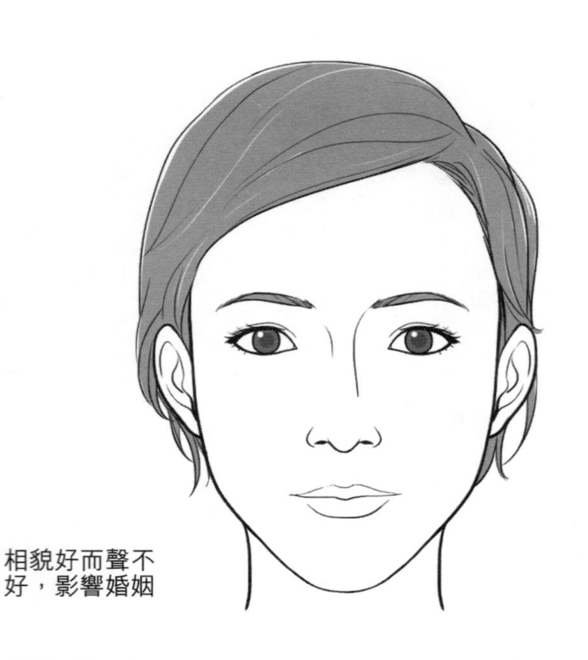

相貌好而聲不好，影響婚姻

有沒有想過聲音會影響婚姻呢？

「何知三度嫁，女作丈夫聲」，原來女性之聲音沙啞、粗獷似男兒者，婚姻皆不理想，「一物一性」，所以女性聲音宜溫柔、婉約為幸福，不宜顛倒陰陽。

讀者有否留意，很多藝員歌星聲音沙啞，雖然聲音磁性，但不能一夫到尾？所以好好保護你的聲線，就是保護你的婚姻。

一人做事一人當，自己聲線不好影響自己的運程是無可怨人，但原來為人父者的聲線亦會影響子女的運程。

「何知人家子女淫，聽他一片雞公聲」，這個「他」是指父親，父親說話無聲尾，快而斷續，如雞公叫聲者，則女兒為歡場女子。

說話時一句未講完，另一句又很快接上，是謂「二龍爭珠」，會有三角戀愛之事，此亦是聲音之過了。

但如果聲音清爽，卻又能將功補過，所謂「十濁一清」，是指面相上很多部位都生得不好，但聲音生得好，就可以挽回整個面相的破局，轉禍呈祥。

但很多人卻奇怪，明明自己五官端正，不是面犯眾憎，但偏偏運程卻是不濟？這種情況是可能犯了「十清一濁」了，衰在把聲，例如一個清麗脫俗的可人兒，一出聲卻是「男人聲」，嚇也嚇怕人了。

顴露聲雄，七夫不了。如女性聲音沙啞，粗獷似男兒，顴骨露出，或顴橫斜插天倉，情況又比「女作丈夫聲」更嚴重了。

眉之六忌

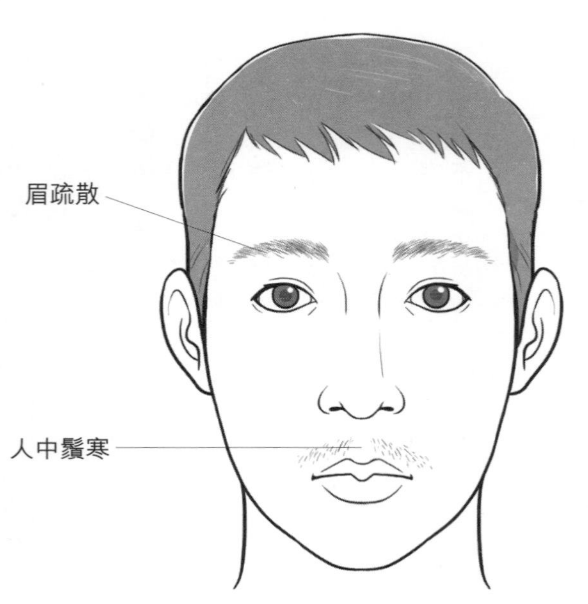

學習，總要有個方法，懂得歸納分類，就是成功的一半。

我的先師就傳我這個方法，將眉之所忌，分成六類，化成口訣，用以背誦，令我終身不忘。

（一）忌粗
（二）忌俗
（三）忌壓目
（四）忌交連
（五）忌短促
（六）忌疏散

將六忌變成歌訣就是：「一忌粗，

二忌俗，三忌眉壓目；四忌交連，五忌短促；六忌疏散」。你試試這樣背誦一下，看看是否琅琅上口。

「有病必有方，有方必有藥」，先師又傳我解拆之方法：

（一）髮粗、鬚粗不忌眉粗

（二）髮粗、鬚粗不忌眉俗

（三）眼深不忌眉壓目

（四）髮粗、鬚粗不忌眉交連

（五）眼圓不忌眉短促

（六）人中鬚寒不忌眉疏散

各位是否記得我在「韮菜命」（見第54頁）一篇中提到，「眉低壓目神無壯，必定帶埋藤條跪妻房」，眉壓目之人多有「季常之癖」，懼內之人，但如果其人是眼球深了入去的話，則不「應」此數。

眼深之人多深沉，多計謀也。各位有沒有留心很多外國人都眉棱高聳，眼眉緊貼其上，而眼球是深陷進去的，不妨細意觀察多些，就可體會到此句話的精妙。

顴眉相爭

相爭者，你爭我奪也，一方得勝自然有一方失敗，勝方得到需要的東西，敗方自然失去所「要」。

相學上有一句訣叫「顴眉相爭」，相爭者，爭者何物也？是爭子女。但相爭的結果是顴與眉都各無所得，而是該面相之人會失去子女。

這口訣是：「顴眉相爭，眼神虛浮，是為子女虛發」。

顴眉相爭者，是眉骨向下彎落，而顴骨卻斜斜向上逼，兩者之距離比較窄，眼眶微露，望上去好像互相擠壓的樣子，而該人眼神虛弱無力，睡眼惺忪，生產時便有問題，會有小產或難產的事。真很佩服前人文字的精煉，簡簡單單的三句説話，便能將一個小產的面相交代得清清楚楚，而背誦者可以琅琅上口，終身不忘，所以我在本書也為大家介紹了很多通俗易背的口訣，希望學者牢記。

顴眉相爭的女性，雖然多會是「生產定然有遭殃」，但亦須兼看人中，方能準確。

人中又稱「子庭」，子者，兒子也；庭者，門庭也，即兒子出生的門庭，而女性孕育胎兒的地方就是子宮，所以人中就是用來觀察女性子宮正常與否最有力之地方。

如人中異於常人，就表示子宮有問題。例如人中過於短狹，就是子宮發育異常，又或人中扭曲不正，子宮位置亦是畸型，故對孕育孩子一定會產生困難，女性在懷孕前宜請婦科醫生作詳細之檢查。

笑起來的時候，右鼻樑（即年上、壽上的位置）現出直紋，表示會有婦科的疾病，亦應要特別留心。

再論耳

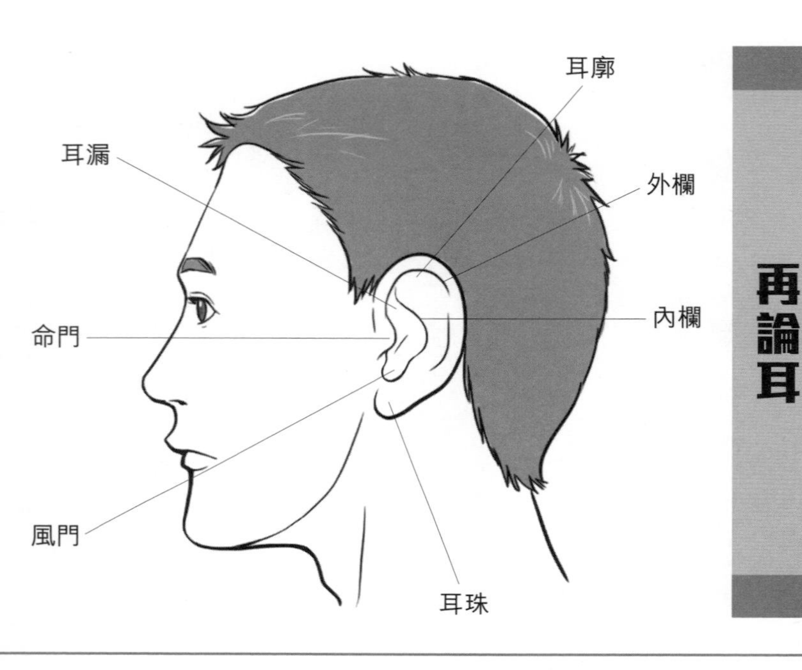

在流年部位篇時，我已略談過耳朵，但只介紹了流年所行之部位，而未有將耳朵各部位之名稱介紹，在這裏有必要作補充。

部位一叫外欄，即耳朵邊，宜有肉、無缺、色澤光潤、無痕、形態靚，如此則小童易湊易養。外欄如有崩缺、摺紋，則童年難養、多病痛，宜契神，如有老人家過身則會擋災。

部位二叫內欄，是外欄對入之處，如反出遮外欄，有曲紋、崩缺，則「包頂頸」、好勝心強、不服輸。

部位三叫耳廓，如狹而窄小，則器量小，沒有大志，如廓反則刑剋父母。

耳廓闊的人，則很顧家，就算「爛賭爛滚」，都不會掉低屋企不顧。

部位四名為耳漏，在耳廓之下凹進去之處在命門之內，形如漏斗，如兩耳之漏斗形態不同，會有不同之父母。

部位五名為命門，此處通腎絡，宜脹滿而忌凹陷，如小孩命門凹陷、紋破及現黑氣，會有重病，恐不過十二歲，故為人父母者宜多加留意。如命門靚，兼看日、月二角父母宮，如部位亦佳，則旺父母也。

部位六名為風門，風門愈闊的人，多是少年不羈，胡作妄為，如誤結損友，很易淪為「童黨」，故為人父母及老師者，如發現兒女「風門」廣闊者，必須加倍耐心去教導，俗語有云：「養不教，父之過，教不嚴，師之惰也」。風門闊者，會早拍拖，但不能早婚，早結早離。但凡事過猶不及，如風門太窄者，亦非佳兆，因個性懦弱，即俗稱「裙腳仔」也，同時亦有同性戀之傾向。

部位七名耳輪，所謂耳輪，即俗稱耳珠也，耳珠有痣，會犯水險、給熱水燙傷。耳珠有紋，是終生勞碌命，耆英之年仍繼續工作，永不言休，公司有如此僱員，必取「終生成就獎」。留心年邁專線小巴司機的耳朵，便可看出端倪。幸與不幸，則視乎觀點與角度了。

妊門脹，福好妻

阿茂整餅

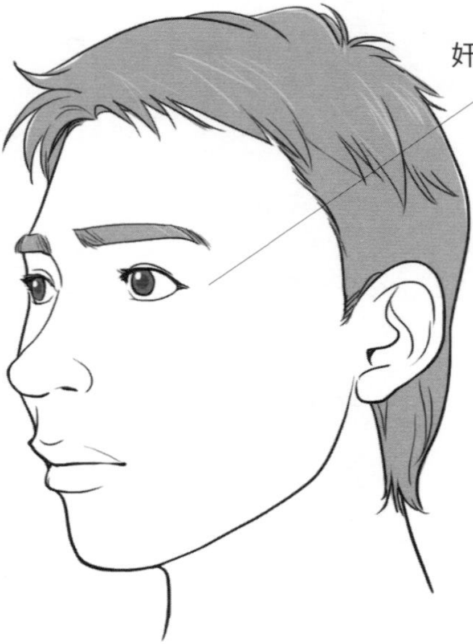

「阿茂整餅」是指無嗰樣，整嗰樣，用來形容一個麻麻煩煩、囉囉嗦嗦、煩氣到飛起的一個人。

假如你老婆是一個「阿茂整餅」的人，你的生活會如何，究竟在面相上有無得看的呢？

答案當然是有。

首先，相書説：「奸門脹，福好妻」，意思是指男性奸門飽滿，你就會娶到一個賢內助。

但過猶不及，如果你奸門太脹的話，你的太太就是正宗「鵝」牌，日哦夜哦，包你無覺好瞓。

第二點，假若女性鼻之準頭對下，左、右鼻孔之間有暗紋分裂，名為「分裂鼻」，此類女性就會凡事打爛沙盆問到篤，囉嗦、長氣兼奄尖。

但男性有此鼻，則是好色之徒，逢女人都啱，奇哉！同一個鼻在男女竟然有截然不同之意義。

雞嘴耳，即沒有耳珠，而耳形尖尖向下，形如雞嘴者，此類耳形之人，凡事喜歡包拗頸，性好爭辯，如果是校際辯論比賽成員，則可以盡展所長。

雞嘴耳的女性，如果喜歡對方，就會「啄」住唔放。

川字掌的人，性格巴咋，主觀很強，宜遲婚，配白頭郎。白頭郎者，年齡較大之人，閱世較深，所以可以忍讓與相就。

還有，耳仔亦可看出一個人的性格，兜風耳的人，亦是喜歡打爛沙盆問到篤之輩。

老人四寶

家有一老，如有一寶。

老而彌堅，耳目聰明，當然是寶，但老而衰頹，體弱健忘，則未必是福。

廣東人有三寶，而老人家則有四寶。四寶是：

（一）眉毫

（二）耳毫

（三）項條

（四）液漕

眉毫者，即白眉毛也，但不宜早出，如早出者，二十歲出，就三十歲死；三十歲出，就四十歲死；四十歲出就是長壽之徵。

但觀老人之眉毛，最重要看它的色澤。毛髮為血之餘，如果眉毛潤澤，則表示體內氣血充裕，身體健康，但如乾涸無華，枯死如草，則不是好現象。

其次就要看有沒有耳毫，耳毫者，就是在耳內長出的毛髮。

耳主腎，亦是全身十二經絡所流過之地方，所以書云：「壽長耳大兼神壯」，耳仔大，顏色紅潤，耳有毫毛，表示腎氣充足，就是高壽之象。

第三樣是「項條」，項條是指在頸項的環紋，最好有三至四條，此亦是老人家健康長壽之徵，如果年青人有之，只是癡肥，並不是壽徵。

第四樣是「液漕」，液糟是指老人入睡時口角流唾液，會增加年壽。但如年青人入睡時流口水，則是病態，是脾臟氣虛，不能將口水固定於體內運行，如講話時亦流口水，則病情更為嚴重。

在四寶之中，以液漕最好，所以書云：「眉毫不及耳毫，耳毫不及項下條，項下條不及液糟糟。」

但看老人面相之要訣，除觀髮、鬚、髭、鬢之色澤外，而眼神，聲音是更為重要。

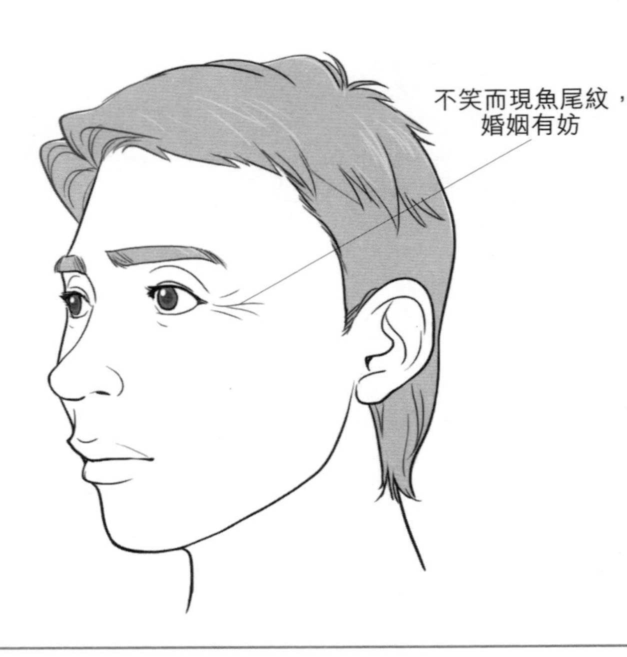

面無善痣，身無好癦，「紋」亦不例外，在面部出現的紋是破壞性多於建設性的。

面上的紋，只有法令紋是必須有的紋，但又不宜早出，否則就是「苦淚紋」，亦是不吉。

額上起紋，少年無真運。

而有橫紋破正中之官祿位，打政府工亦是不宜。

印堂有紋是為懸針破印，主晚年孤苦無依。

眉頭有紋，左穿頭，右撞車，而亦

主牢獄之災，「一紋一度入獄內，二紋二度入牢危」。

眼肚有斜紋黑痣，沒有兒女送終。

山根橫紋，四十一歲未能「通關」，主自己或家宅出問題。

奸門有紋是為「魚尾紋」，笑起來才見就影響不大，不笑時亦現就影響大，有紋是影響婚姻。

年上、壽上有直紋，會假養他人子，女性更有婦科病。

顴上有紋為破顴紋，會受親戚及朋友所累。

鼻頭有紋為分裂紋，男性是「狗公鼻」，逢女人都啱，女性則是正宗「鵝」牌，囉囉嗦嗦。

在井灶有紋，主破財。「何知人生不聚財，但看法令破蘭台」。

人中有橫紋，叫做「通姦紋」，主男女皆有風流韻事。

人中十字紋，五十一歲死仔女。

人中有直紋，大仔要破相及假養於他人子。

耳珠有紋，高齡工作者，不能退休。

承漿有紋兩邊彎彎向下，叫覆舟紋，主犯水險，列根總統被行刺當日是下微微雨及近水池，皆覆舟紋之過。

少年兩道眉

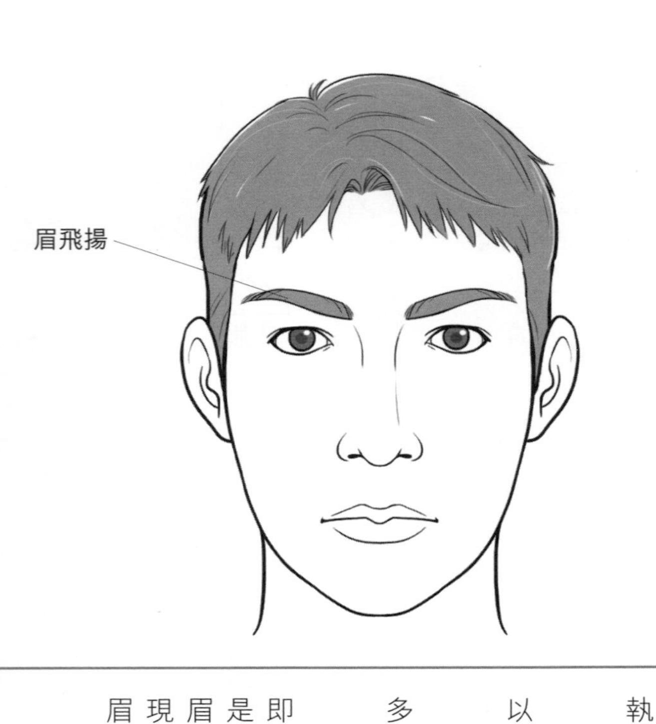

古書有云：「少年兩道眉，臨老一執鬢」。

意思是，少年人看眉為主，老人家以鬢為重。

「揚眉小子」，年少得志的青年人多是眉宇軒昂，眉拂天倉，神采飛揚。

巾幗勝鬢眉，巾幗，即女子，鬢眉即男子，為何以鬢眉代表男子呢？鬢固是男性獨有，眉為性，看關雲長的一道眉，如何威風凜凜，所以「鬢眉」之表現為「丈夫氣概」之必要條件，以「鬢眉」形容男性最為貼切不過。

眉屬肝，性剛陽而近火，肝火上升，

故上生而且昂。

《麻衣相法》：「眉者，媚也，為兩目之華蓋，一面之儀表」。

所以，媚者在眉，威亦在眉，常云：「眉宇間有英氣」，如無威何以表現為有英氣。

眉為性，眼為心。眉可以看到一個人之性格。

凡英姿挺秀，賦性賢能之人，最易給人良好之印象，因此能增強客觀之成功助力，故此能少年得志。

所以眉主早成，少年人能否有成，可以看其兩眉便知一二。

「臨老一撮鬚」。古書有云：「晚境以一鬚定吉凶，後五十年之福祿」。

因髮屬腎，如鬚髯華美，即是腎水旺盛之表現，中醫說腎藏精，是人生精力之根本，精力充沛，身體自然健康，而事業之慾望亦強，所以老人烏鬚黑潤，晚境一定不錯。

胎教

讀者有沒有想過，當女性懷孕時不好好控制情緒和謹慎服用藥物，不單禍延下一代，還會禍及自己，天理循環，冥冥有數。

手掌紋是無得假，它是大腦的線路版圖，有什麼事情皆可以從掌紋線裏看出。

在母親懷孕至第九個星期，嬰孩就開始有掌紋形成。

如母親懷孕時患上德國麻疹、盲腸炎、膽生石或感染，嬰孩出生後就會有機會是斷掌。

斷掌不是指斷了手掌，而是感情線

與頭腦線連在一起，形態好像將手掌劃分為二，謂之斷掌。

斷掌的人脾性古怪，剛愎自用，六親緣分淡薄，命硬之人也。

男人斷掌千斤兩，女人斷掌過房養。

女性宜過契予他人及跟親戚朋友生活而長大，男性時運配合可建功立業，但孤寡不免，你希望兒女擁有一對斷掌嗎？

當婦女懷孕的時候，夫婦經常口角爭吵，亦會影響胎兒，嬰孩生出來後會有黃毛額角旋。

「黃毛額角旋，父母早不全」。額角旋的孩子，反過來會影響父母的運程，會影響父母之健康，或影響父母之感情而導致離異。你認為種惡因，得惡果，是值得的嗎？

另外，在老婆懷孕的時候，老公出去滾，或有其他女人的話，將來的嬰孩會有大細眼，可能是荷爾蒙分泌或女性抱怨的關係，形成嬰孩的眼會一大一小。

「何知父母兄弟異，眼耳大小高低是」，所謂「現眼報」，很多時父母之所作所為，會在兒童面相有所反映，真是「以人為鏡，可知得失」。

大細眼的兒童，長大後又會是風流成性之輩，將遺傳因子延續下去。

作者漫畫圖

醫心方

現今香港是一個功利社會，笑貧不笑娼，大家似乎都是「目中無人」，只是向錢看。

恒生指數波動愈劇烈，患病的人卻愈來愈多，尤其是心臟病，開心過頭固然會心臟病發，一日唔見千幾點，心亦會「拿住」。

日常生活，你虞我詐，勾心鬥角，有錢者未必會開心，無錢者更加不開心。所以，我日常看相除了幫助他們解決疑難外，亦樂於做一個聆聽者，雖然有時未必能夠幫到他們，但說了出來，心總會舒服些，況且心病還須心藥醫，我會贈他們一條「心藥方」，醫一醫個心，藥方如下：

「心藥方」

好腸肚一條，慈悲心一片，溫柔半兩，道理三分，信用要緊，忠直一塊，孝順十分，老實一個，陰騭全用，方便不拘多少。

藥用寬心鍋人炒，不要焦，不要燥，去火性三分，於平等內研碎，三思為末，六波羅密為丸，如菩提子大，每日進三服，不拘時間。

用和氣湯送下，果能依此服之無病不癒。

切忌：一、言清行濁；二、利己損人；三、暗中箭；四、肚中毒；五、笑裏刀；六、兩頭蛇；七、平地起風浪。

以上七件速戒之。

以上十味，若能全用，可以致上福上壽，成為佛祖。

共用其四、五味者，亦可滅罪延年。

真奇怪，有些客人告訴我這條藥方很有效，一劑搞掂，我心想可真厲害！豈不是我以後會多了一批「修道」的客人？

面無善痣

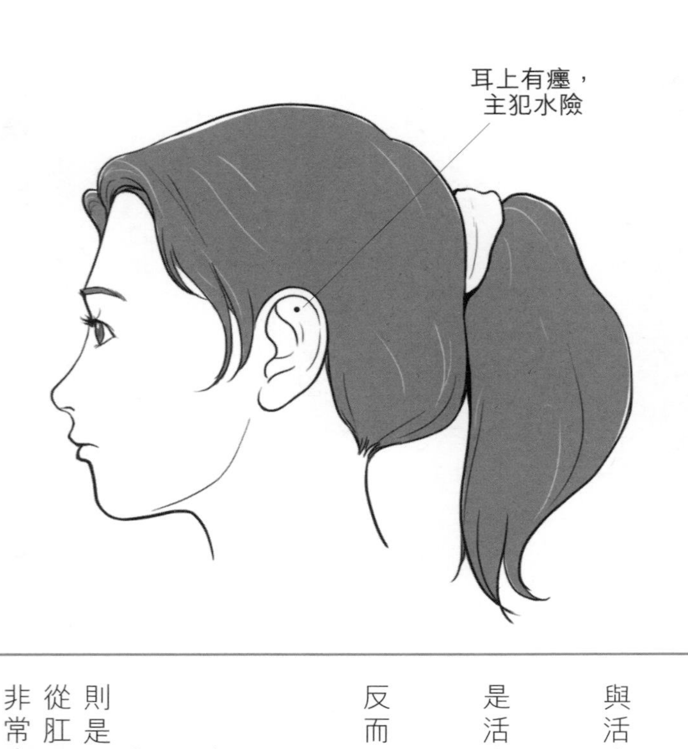

面無善痣，身無好癦。痣，有死痣與活痣。無血充的就是死痣。

如大粒痣有血充，不論紅或黑，都是活痣。

活痣長在不好的部位，影響更嚴重，反而死痣影響較小。

其次是黑斑，影響都是一樣。

鼻頭有痣，易誤服藥物而中毒。

鼻上有痣，會生痔，如果是一片，則是瘺，俗稱「老鼠偷糞」，大便不是從肛門而出，而是從肛門旁邊肌肉流出，非常痛苦。

耳、眉有癦，皆主犯水險。

田宅宮有癦，屋企會火燭、水浸。

奸門有癦，惹官非，女性喜歡較自己年輕的男人；男士則代表老婆有腰骨痛。

人中有痣，子女不孝順。小心犯水險。

法令有痣，手腳會受傷。

官祿位有癦，做官做不長。

井灶有癦，經常破財。

山根有癦，二龍爭珠，會有三角戀愛。

眼白有癦，肺有病。

唇有痣，易患腸結症。

舌上黑痣，非常凶惡，會患癌症。

女性顴上有黑色雀斑，主丈夫患肝病，如黑色深且連成一片，是丈夫患肝癌。

男性、女性胸部有癦都有三角戀愛，男性左邊胸部有癦，代表除愛侶之外，另有情人。

男人膊頭有癦，就要擔起頭家，左邊有癦是養自己家人，右邊有癦就要養埋外家，兩邊都有，恐防斷擔挑。

覆舟紋，
主犯水險

看相方法（上）

客人坐下，最重要看形態及第一眼之感覺，尤其是氣色，因氣色主最近已發生，或將會發生之事，對論斷之準確性極為重要。

如雙眼無神，定必有事。

再問年齡（以虛齡計算），知其行什麼流年部位。

是否有破損，例如紋沖、癦痣、疤痕、巖巉等。

氣色如何？

如三十一歲行左眉頭，眉頭有雜毛叢生豎起，有直紋，流年部位不佳。

再看年壽位，色瘀，家宅之色不利，告知家中有人生病。

再看左下眼色暗，即家中之男性有病，右下眼色暗，即家中女性有病。

看相就是用這個模式、方法去看，靈活加減變通去推論演變，而得出答案，所以「相學是加減之法，玄妙盡在此中」。

「男左女右」的運用，是非常重要的，以婚姻紋為例，在婚姻紋末端開叉，即似一個「Y」字，主離婚。

假如客人為男性，如此紋在左手出現，則表示男方主動提出離婚，在右手則是太太提出離婚。

反之，在女性而言，右手有此紋是女方主動提出離婚，左手有則是老公提議離婚，如雙手都有則是共同的意願。

同樣道理，在婚姻紋的中間出現島紋，即「-O-」，是為通姦紋。

在男性而言，左手紋現，則是自己有情婦；在右手出現，則是太太有奸夫。孰輕孰重，屬吉屬凶，論斷結果會「判若雲泥」，不能搞錯，否則捉姦變成「捉蟲」，笑死街坊也，請要緊記「男左女右」的原則，終生不要忘記。

看相方法（下）

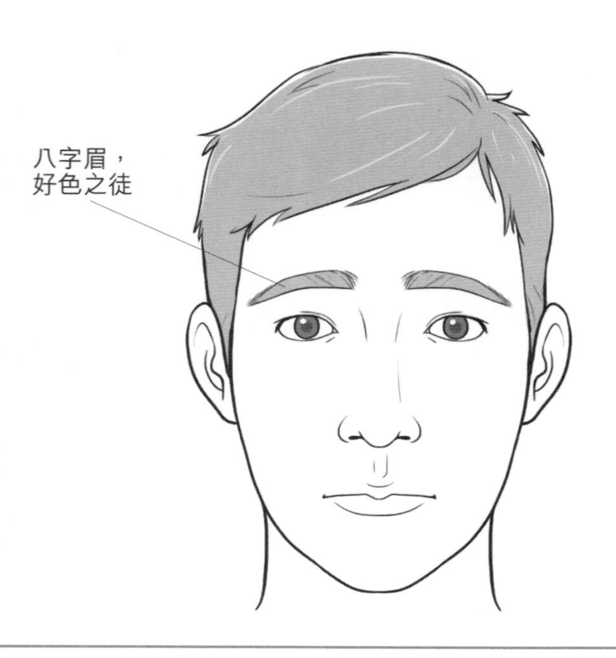

上文提過，看相要分清「男左女右」，跟着便要學懂看流年部位，此點亦非常重要，所謂「無規矩則不能成方圓」，如果不懂面相部位名稱及流年部位，等於「瞎子摸象」，一味靠撞，成為「撞棍先生」。市面上很多書對流年部位的介紹都很含糊不清，故這本書會用相當之篇幅去幫大家弄清這個概念，希望讀者用心去學習，不要辜負了我一片苦心。

認識了一字一句刻板定位的流年部位之後，亦稱「定流法」，就要進一步去學會「雲流法」（見136頁），因為純粹用一個部位去推斷流年吉凶時，準確性並不足夠，應要結合其他部位來推斷，方能準確，「雲流法」的方式，我會另闢專篇為大家介紹。

知道流年部位，亦曉「男左女右」，但如問到究竟太太是否一位「賢內助」，丈夫是否一位「好好先生」，子女是否「孝順」，兄弟是否「得力」，下屬是否「聽話」，則要知道各人在面相所屬的「宮位」，方能論斷，故此，各位就要知道「十二宮」的位置。

例如，女性以鼻為夫星，看女性「老公」的運程，是否嫁得好，則要看她的鼻。反過來說，有些人以為亦是從男性的鼻看「老婆」之運程，則是找錯方位，此乃不懂「十二宮」所屬部位之過也。男性以「奸門」為「太太」，奸門是位於左、右眼角尾之旁邊，即眼鏡框邊之地方。

「有病要開方」，故此在可能的情況下，我們應提供助客人改變運程的方法，我用得最多的方法，亦是行之有效的方法，就是動其「驛馬」。如何動之？就是叫其「出門」，如未能出遠門者，則到離島旅遊、登高遠足亦是一個可行之方法。令其驛馬色明，則自有貴人之助，運自轉也，當然，如驛馬見黑滯，則千萬不可用，反遭災厄，不可不知。

雲流法

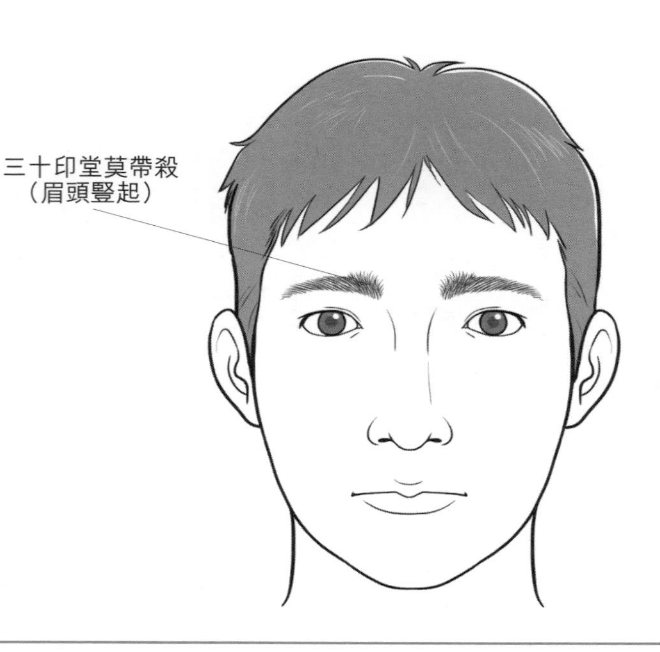

認識了流年部位，就是為學看相打下了深厚的基礎，但在實際運用起來時，單純用流年部位，有時卻不大應驗的，因為還需要配合其他部位去看，這才會準確的。

「八歲十八二十八，下至山根上至髮，有無活計兩頭消，三十印堂莫帶殺」。

男性三十歲之虛齡流年部位是在右邊山林，但在睇山林是否飽滿，有沒有紋破之餘，還要兼看印堂有沒有紋破，眉頭是否有豎起，印堂之氣色如何。

如印堂有破損，或眉頭之毛豎起、入侵印堂及印堂之色枯澀而帶灰黑，則

雖然右山林之部位生得很靚，豐隆圓潤，但該年亦以不吉論之。

二十六歲睇眉

男性二十六歲是行邱陵之部位，邱陵是在左邊眉尾與側邊髮際之間，所以如果眉尾生得太尖，射入邱陵部位，又或眉尾太散亂或過長，迫住邱陵，皆屬不吉。所以，眉形不佳，二十六歲亦不佳。

三十六歲睇鼻

男性三十六歲的流年部位在右眼頭。李小龍是鼻犯眉骨，鼻骨應是掛在眉骨上，但李小龍是鼻骨直插而上。鼻骨犯眉骨，是自己犯自己，會是三十六歲前出問題。

如鼻樑起節，不用待四十三、四十四歲，三十六歲已有機會離婚，亦乃「眼、鼻」同參之道理。

三十六歲睇山根

因山根在左、右眼頭之旁，如果山根低陷、折斷、紋破或有惡痣，勢必波及三十五歲及三十六歲之運程。

五形人

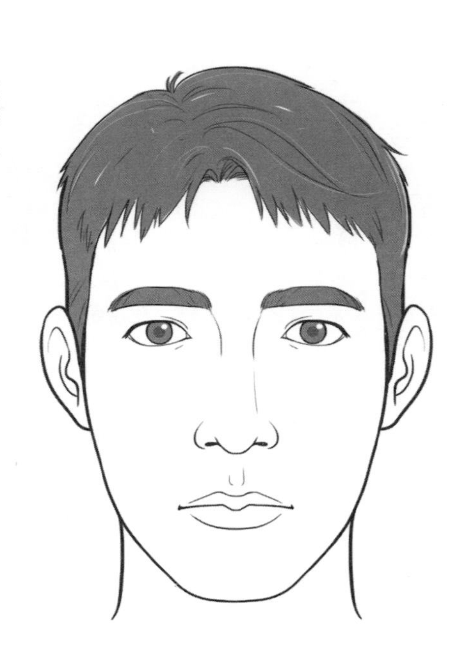

我們看相習慣將人劃分為金、木、水、火、土五形，在現實環境中，純屬其中一形者少，兼其他五行者多。

金形色白聲清響

金形之人膚色屬白，聲音響亮而清。聲音與肺有關係，所以中醫說「金破不鳴」，肺屬金，肺功能有問題亦會影響發聲。

金形人有肥亦有瘦，肥人者手指罅會密，瘦人則手指罅疏，肥人而手指罅疏者，是為破格。

如膚色白，掌形厚而軟，手背無毛，人肥，指罅密，則是金形帶水。

木形髮粗指如槍

髮粗、髮多、眉濃、掌硬、指長、指節大、指罅疏，是為木形人。木形人要眉鬢濃密，最忌脱髮、眉弱，可做屬水行業，水生木也。亦可做土之行業，木剋土也。如膚色白，則是木形帶金；如膚色黑則是木形帶水；如身肥則木形帶土。

色黑頂平為水相

指短、指粗、掌軟、掌厚、指背有毛、膚色帶黑、肥得「論盡」者就是水形人，很適宜從事飲食行業。

頭尖屬火

火形人之膚色見赤、眼紅、聲音沙啞、聲拆、掌形尖，掌可以是硬，亦可以是軟，屬正格火形之人在五形中是比較少見。

土帶肥黃

土形人指短、指粗、掌厚、掌硬、膚色帶黃、肥得紮實、指罅密。

土形人最忌髮多，所以極不宜留長頭髮，是木來剋土也。最宜短髮。所以土形入格者而覺得近來運滯，可以剪短髮改運。土形人和水形人一樣，很適宜從事飲食行業。

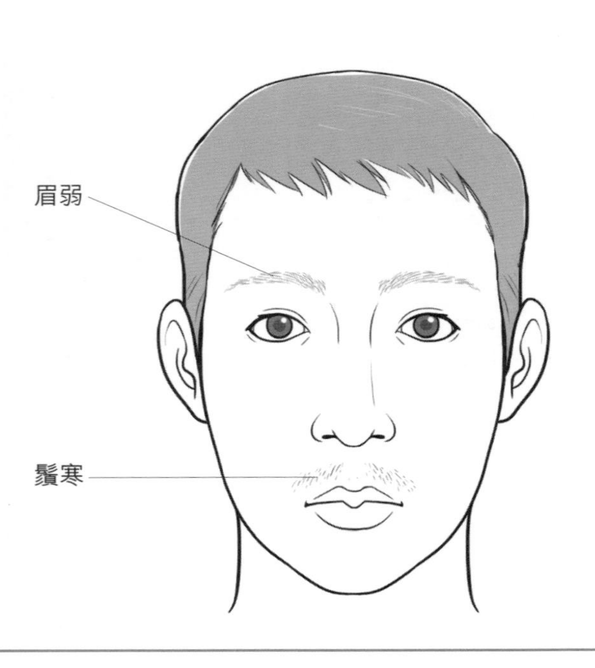

三遲命

很多人經常自怨自艾，為何面相沒有破敗，但總是未見有運行，事事皆比人遲，這正正是面相上犯了「三遲」而不自知，所謂「三遲命」就是結婚遲，二是生仔遲，三就是行運遲。

「三遲者必是三粗」，一是髮粗、二是鬚粗、三是眉粗，所以「三粗」必有「三遲」。

「眉、髮、鬚」三者三歧而同一源，三者皆與血液、肝臟有關。眉代表個性，所以頭髮與鬍鬚亦同是代表個性，三者皆濃密、粗壯，是主性格強硬、剛烈，是勞碌之命，有得做時無得享福。濃眉者，性格魯莽而率直，不解溫柔。

「鬢寒、眉弱」亦是三遲之命，鬢寒者，人中鬢寒也。

另外，眉壓眼、額低、額窄亦是三遲命，要過了眼運，四十歲後結婚才好。

因額主少年運，由十五歲至三十歲都是行額運。

頭尖、額窄、額低、耳低、眉壓目、眼皮凹眼核，讀書不多之人。

額窄、額低之人，定是有紋，多是勞碌，不會是容光煥發。

有如是額，就會有如是運。有如是運，就有如是額。

所以奉勸一些朋友，如果已經是額低、額窄，就千祈咪留長頭髮，遮住額頭，運氣會更壞，要額頭重見天日才會有好運行，別以為潮流與就跟風。尤其是土型人，更要剪短頭髮，木剋土也。

額頭至少要放得下四隻手指位方算合格，如果不及標準，就唔開運，難有運行。如果有此額，就要安分守己地工作，不要太大想頭，過了額運才作打算。

「三遲相」之朋友，給一些耐心去等候吧，定會雨過天青的。

十三氣勢部位

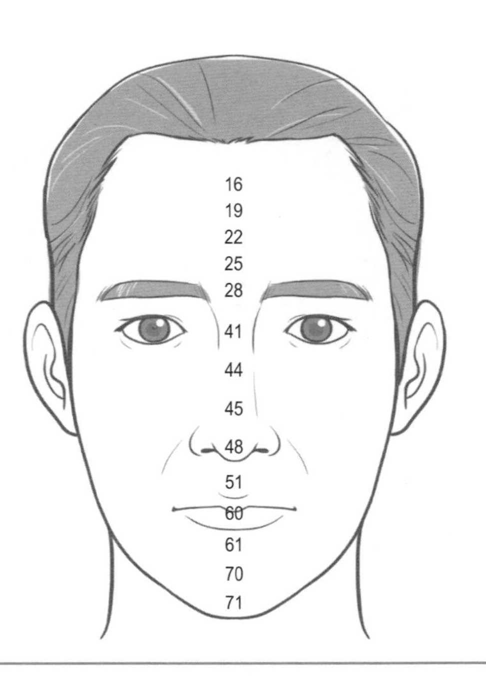

十三氣勢部位是在面相的中線，由額頂開始，一直落至下巴。

此條中線非常重要，統領了老、中、青三個時期的重要部位，且以這條中線為界，將面相分開左、右兩部。

天中（十六歲）、天庭（十九歲）、司空（二十二歲）、中正（二十五歲）及印堂（二十八歲），此五個部分主宰額運，所謂額運五部，起碼要放得落四隻手指，如額頭低，放不下四隻手指，少年運不佳。

二十八歲行印堂，如果印堂生得好，一生人都無絕境。

到四十一歲，踏入中年，便進入人生中第一道關卡——山根；山根與年上、壽上合而為疾厄宮，生得不好，中年便會有大病一場。山根斷陷有橫紋者，此年要小心。

四十八歲便走到鼻頭，鼻為財星，中年是否事業有成，財源廣進，便與鼻形有莫大之關係，但如果不幸法令破蘭台，就會破產，是人生路上之一大挫折。

五十一歲運行人中，是人生中第二道關卡，宜深而長，古人比喻為四瀆之一，瀆者，江河之意，河流總宜明潤深長，才不會瘀塞造成氾濫。

大家有沒有發覺，山根與人中在十三氣勢部位上都是凹進去，這些部位都宜見喜，否則易見凶。

人中又名「人沖」，是沖得過去就平安的意思，人的壽元、子息、健康到此都會受到衝擊，如獨木舟過激流，過得到就平安，所以運逢如此流年，皆不能掉以輕心，有病就要立刻看醫生，病向淺中醫，不要讓小病變成大病。

由水星至地閣，是步入晚年之運程。「口角如覆火，晚年孤燈獨坐」、「下巴兜兜，晚年無憂」，所以地閣朝，口形生得好，便晚運好。

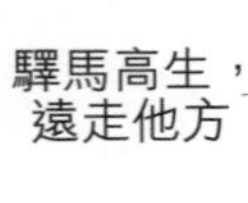

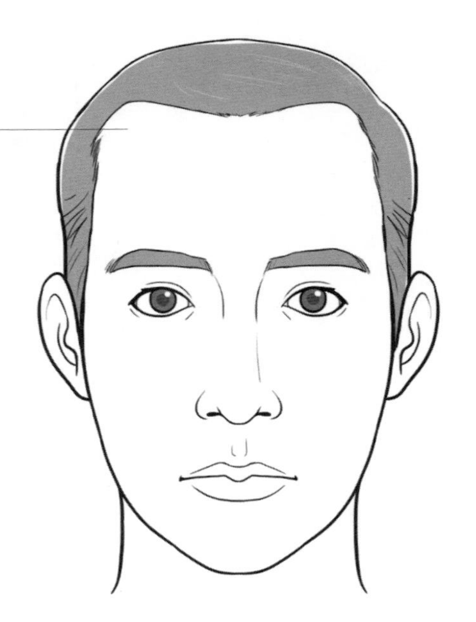

驛馬

驛馬高生，遠走他方。

驛馬，究竟在哪裏呢？

驛馬，就是在額角的地方，即是相學上稱為邊城之處，是流年二十三歲及二十四歲所主管的部位。

驛馬高生的人，一生不能坐定定做工作，所以最適合做「行街」，即營業員。「生行街，死掌櫃」，所以將來有機會可以創業也。

驛馬高生的人，做工作亦應遠離自己所住的地方，例如做警察，家住柴灣而最好去守沙頭角，愈遠愈好。如不幸被上司整蠱，反而助長運程，是好事也。

如果是做生意的，家在香港，最好將寫字樓搬到九龍。如果是打工仔，上班地點也是離家愈遠愈好。

驛馬愈高，搬得愈遠愈好；驛馬愈低，在樓下返工就最理想。

所以驛馬高的人，想搞移民也比較容易成功，多次申請失敗的人就要看看額頭驛馬，是否不夠開揚呢？

驛馬位除了在左、右邊城外，其實還在面相上靠邊的部位及能動的地方。例如左、右眉尾，左、右眼珠及左、右法令。尤其是法令唔過口，五十六及五十七歲更應出門遠行，希望可以「過關」。

出門前，必定要先看驛馬之色，如色澤黃明，則此行必有收穫，旅程愉快。

如覺運滯，可以出遠門，令驛馬色轉成黃明之色，將衰運轉成佳運，你不妨試試，包你有收穫。

如未能出遠門，多些去離島、登高山，離開你平日接觸的磁場，亦能有效。

但驛馬色黑，出門有意外，宜靜不宜動也。

選拍檔

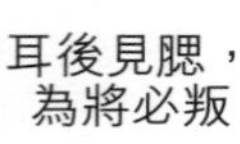

在家靠父母，出外靠朋友。

在商業社會中，朋友就是你的資產，但有些朋友是幫你，有些朋友卻是害你。

很多人都想自己做老板，所謂「工字不出頭」，但又苦於資金不足，或恐經驗不足，又或恐怕會輸掉身家，於是找人分擔風險。但在找拍檔之前，你先要問問自己，看看掌相，是否適合與人拍檔。

人中鬚寒、眉疏散、紋破顴的人，絕對不宜與人合作做生意，必會拆檔收場。尤其是需要向銀行借貸時，要作人事加簽擔保，必定要孭債上身。

有川字掌紋的人，亦是欠缺與人合作的先天條件，因自我中心太重。

若自己沒有上述的問題，則可以開始找拍檔，但以何類人選適合呢？

眉為性，眼為心，眼正心亦正，眼邪心亦邪，首先應優先選擇眼正、鼻直、鼻頭有肉，人中深長而不歪曲的人做拍檔。

眼正、鼻直之人起碼無害你之心，鼻頭有肉心無毒，而人中深長的人做事不怕蝕底，肯為你到處奔波。

其次則應避免選擇川字掌紋的人，因對方個性太強，未必能互相遷就，日久磨擦自會漸多。

「耳後見腮」，古人稱之為將必叛，所以亦要避之則吉。

「孤峰獨聳」，有功則佢領，有鑊就你孭，你認為嗞得過嗎？

「懸針破印」，這類人帶有神經質及剛愎自用，未必能容納不同聲音去共同推動公司之業務。

當然，以上數點只大體之概梗，但如能趨吉而避凶，雖不中亦不遠矣。

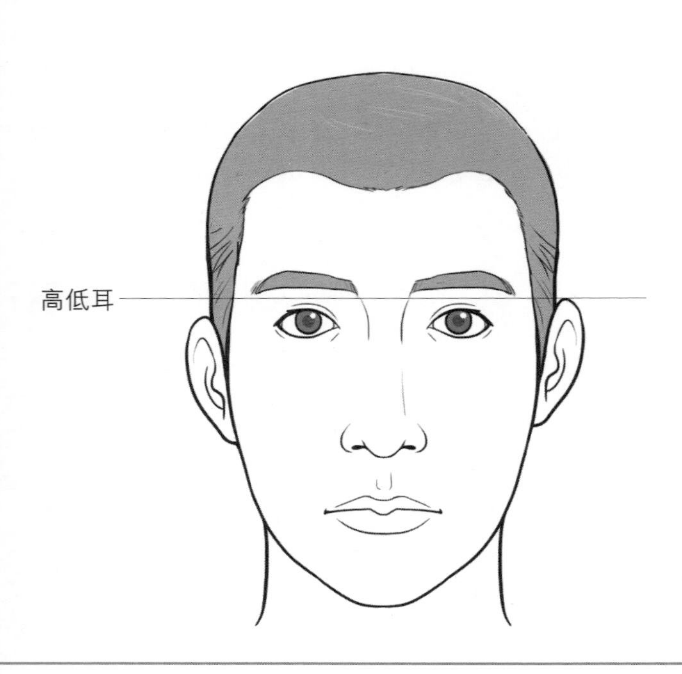

同父異母

從一個人之掌相，怎樣看得出是「同父異母」、「同母異父」或有「異性兄弟」呢？

「何知父母兄弟異，眼耳大小高低是」，如果大細眼，高低耳及鴛鴦眉，就有機會有兩個父親或兩個母親，亦有機會有不同姓氏的兄弟姊妹。

如果女性眉壓目，會有兩個母親，如果沒有，就會有兩個家婆，即家公有兩個妻子，老公是「二奶」所生。

相書又有云：「何知女人是婆姨，但看一雙好鑾蹄」。婆姨是指「二奶」或「情婦」；鑾蹄，是指小腿平滿，即俗説沒有「腳瓜梆」，亦叫「竹筒腳」也。

前人說女性如果沒有「腳瓜梛」，多為繼室之命，所生之兒女就會有「同父異母」之兄弟。

「面大鼻細，及時起計」，女性以鼻為夫星，鼻小而受欺，是妻奪夫權。剋夫之命，亦屬「偏房」之面相。

雙重法令，會過房養。過房養者，跟其他人生活長大之謂也。

外法令紋短，內法令紋長，跟族內之親人長大。

外法令紋長，內法令紋短，則過房給外姓之人。

「黃色額角旋，父母早不全」，額角有旋毛者，亦會有機會過房養。手掌紋感情線斷開，亦有此現象。

既然過房而養，所以叫做有「重親」。

若有兩條生命線，男性左掌有，會有兩個阿媽，右掌有則有兩個外母。

左腳先行

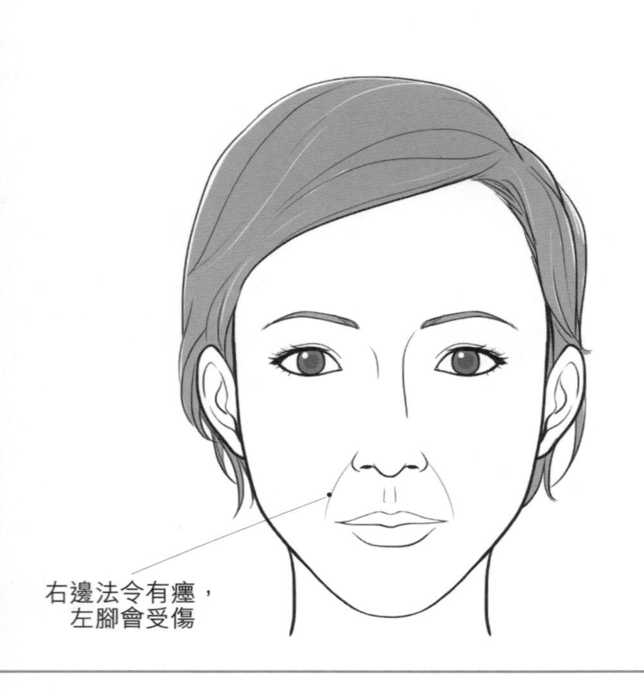

觀人於微，看相除了看面相、掌相、氣色及神態外，還要觀動態，方能百發百中。

曾聽見電視台馬評人說此馬出左腳，到臨過終點前因乏力轉出右腳，因而落敗。

原來當人行路的時候，先出左腳，或先出右腳；頭先行，抑或腳先行；轉身時，向左轉，抑或向右轉，都與運程有關。

最佳之情況，是左腳先行，頭後跟，轉身向左轉。

競選香港小姐，左腳先行就實入圍，

右腳先行就唔入圍。

頭行先，腳行後，是不好的格局。

出左腳，而向左轉，就有功有祿。

出左腳，向右轉，就有功無祿，十載功勞一朝散。

出右腳，而向右轉，就無功無祿。

受軍訓的，多是出左腳先。

記得多年前還在電視台工作的時候，有一位當紅的司儀叫我看相，他曾為電視台立下不少汗馬功勞，我就叫他行幾步，轉個彎給我看。

當時他是先出左腳，而向右轉身，來回幾次，亦都如是，我就告訴他「十載功勞一朝散」。後來應驗，他很快就離開電視台了，我當時就是根據此原則而告訴他會發生之事。

當然，知道這原則而人為主導出左腳，向左轉身，則不在此例了。

還有，外八字腳的人是較為外向，內八字腳的人是內向。

坐的姿勢，右腳踏左腳，是無心機聽你的說話，反之則情緒就較為專注。

由今天開始，你就學習觀人於小動態之中，一定有收穫。

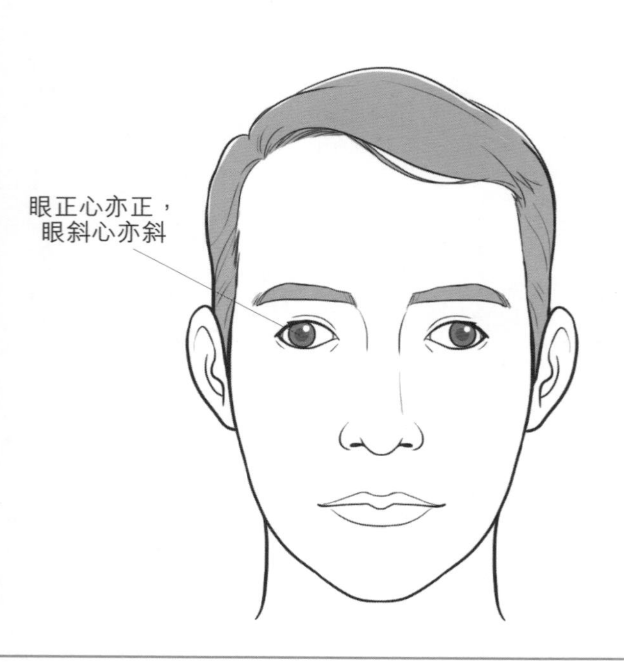

身體語言

「未言先笑兼斜看，淫人妻女無天莊」。

善於看相的人，當對方未曾出聲，你已經知道他想怎樣。例如你是一位女性，遇到上述身體語言動態的男朋友，最好就是掉頭走了。

動態是一種身體語言，很多事情都可在一舉手，一投足之間看到。人是受環境影響的，耳濡目染下會不知不覺間出現同樣的動態。例如：

和尚的動態、樣貌，可以到寺院多睇，多作比較。

軍政界、警察及紀律部隊人員的面

相有何特點，則可到軍營、警署多些留意。

犯罪的人面貌與氣色，就可以到法庭去旁聽。

舞小姐的樣貌與特點，又不妨到夜總會附近去觀察。裝胸作勢，前拱後突，臀部生得高，行路動作扭擰者，多屬舞小姐動態。

誠心向佛，禮佛參拜，和尚的動作多雙掌合十禮拜。

眼眨得快的人，腦筋轉得快，精靈。但眼眨得快，而四周張望，閃爍不定，則不可靠。「眼皮連續眨不停，含笑知事心不誠」，眼為心，這樣動態當然不能不防。

「步步垂頭乃是扭計大王」，再加上個子矮小，這人定必是滿肚密圈，不容易對付，遇到這樣的對手，當然不可以掉以輕心。

「配」夫

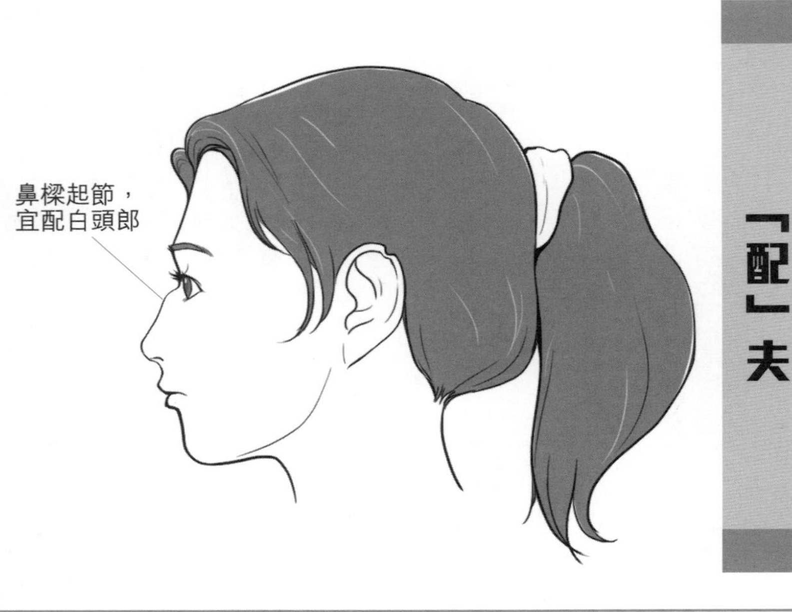

很多懷春少女都不時在心中自我暗問，究竟我將來的「老公」是怎樣的呢？

其實不用問人，因為你將來的老公是如何？看自己的鼻就知答案。

如果鼻直、鼻長，鼻的氣勢好，鼻頭有肉，丈夫便會是專業人士，例如建築師、會計師、律師或醫師。

再加以「司空」部位飽滿，「準頭對司空，揚名於祖宗」，丈夫更會有名氣，是「名氣界」中人。

鼻高則貴，鼻厚則富。

如果只是鼻高，可能有名無利，如

果肉厚，則是富人。鼻高而厚，便是富貴雙全。

反過來說，男士想知道能否娶一個富家千金，則要看淚堂。淚堂，是指眼頭下之部位。眼頭內有淚管，我們笑的時候，眼淚都是從跟頭流出來的。「何知妻子值千金，但看眼下淚堂深」，如眼頭深進去的話，則妻子會是「疊水」之人。所以「古井」不是每一個人都可以掘到的，何況是年輕貌美而富有？

鼻正、鼻長，老公會是「肥佬」。

顴、鼻相配，老公便會從商，自己便會做「事頭婆」。

如額高、鼻大、鼻樑有節，則要配「白頭郎」，白頭郎是指年紀較自己大很多的丈夫。因額高，智慧好；鼻大，

主觀強，難搵丈夫，要配大夫，容易相就。

如本身是川字掌，最好配對方亦是川字掌，丈夫應是大仔或細仔，不宜排中間，如果是排中間，則宜是結過婚的。

斷掌的人，「配夫」的方式與川字掌紋的人同一個模式，否則難得白頭到老。

還有，川字掌紋的人絕不宜早婚，早結早離，不可不知。

再論山根

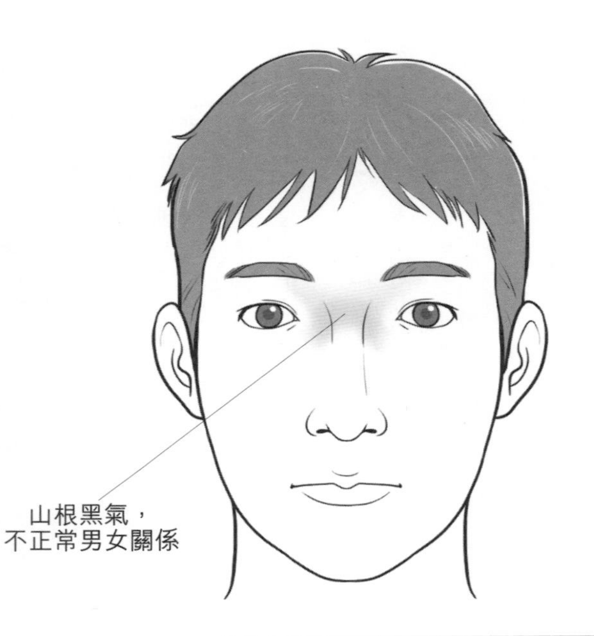

山根，在相學上是屬於疾厄宮，主看健康疾病的問題。

但其實山根與家宅的關係非常密切，可以憑此部位觀察兄弟、妻子及父母之吉凶。

「何知兄弟成雙吉，山根高聳眉如一」，眉為兄弟宮，山根貫印，兄弟感情好，所以看眉的時候，要兼看山根及印堂。

「何知兄弟成雙囚，山根折斷眉不豐」，是否入獄，要兼看是否有紋插入眉內，一紋一度入獄內。眉毛稀薄，兄弟感情疏離。如眉毛折斷，則兄弟中有入養唔大或曾經做手術，「眉粗折斷兄弟喪」。

「何知人家弟殺兄，山根常黑不分明」，兄弟內鬨，兄弟不和，山根會現黑氣。

其實，山根是位居兩眼之間，眼主感情之事，山根有黑氣橫列，主有不正常之男女關係。

「何知人家殺頭妻，必是山根年壽低」，看一個男性是否剋妻，除了看奸門之外，必須同時參看山根及年壽。

山根又與父母有關，「額角巉巉父早喪，山根低陷母先亡」。

山根又與兒女之事有關，「何知小兒常被驚，山根年壽色常青」。青色是主憂驚，青色亦主有風，所謂小兒驚風，無緣無故亦會喊，「青筋現鼻樑，無事喊三場」，相信為人父母者多有此經驗。

在印堂與山根之部位叫做「玉堂」，如此位置有橫紋，流年三十九歲會犯官非。

如在山根有橫紋，四十一歲家宅就有問題。

在山根對下，鼻樑兩旁，即戴眼鏡時承托起眼鏡框的兩個位置，叫做「勾陳」，如現黑氣，會經常失竊，遺失物件。

牙與舌

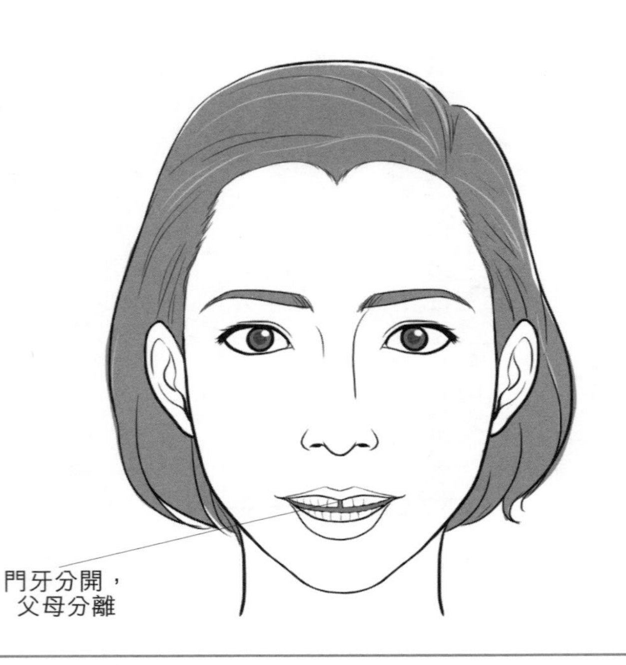

牙與舌亦是面相的一部分，很多人都會忽略，現在為大家介紹如何看法。當然，我們看相時不會叫客人張開口，而是提示我們在平時要善於觀察。

牙

牙代表健康、形像、要齊全、色澤宜白、忌黃色、要大小均勻。

牙有三十六隻，甩牙是一個運數，必有原因才會甩牙。

牙代表忠信、誠信。

上排牙是天，下排牙是地。上邊包住下邊，這是天包地，此類人自信，但情緒化，消化系統不好。

門牙要齊整，不要崩缺，不要有漏縫歪斜，左崩剋父，右崩剋母。

中門分開，代表父母分開。有三隻門牙，多有偷竊狂。門牙彎，喜吹牛。

重疊門牙，常譭謗別人。「至尊皇帝命」，常自以為自己天下第一，喜吹牛，宜遲婚。

牙大、鼻翼大、眼大，「胸」亦會大。

門牙崩，代表性能力差。

門牙向外，性格外向；門牙向內，性格內向。

舌

舌為心，要長而大，敦厚誠信。如狹而長，說話有欺騙虛詐。

舌吐像蛇，心腸惡毒，喜吹牛，愛講大話。

舌白，濕重。舌中間有紋，有心臟病。舌有黑痣，會患癌症。

舌大而薄，萬事虛耗。舌過於粗大，主多飢餓。舌短而大，愚魯懶惰。舌上多紋，終生勞碌奔波。

舌小而長，仕途吉昌。舌小而短，家境貧窮。

剋妻

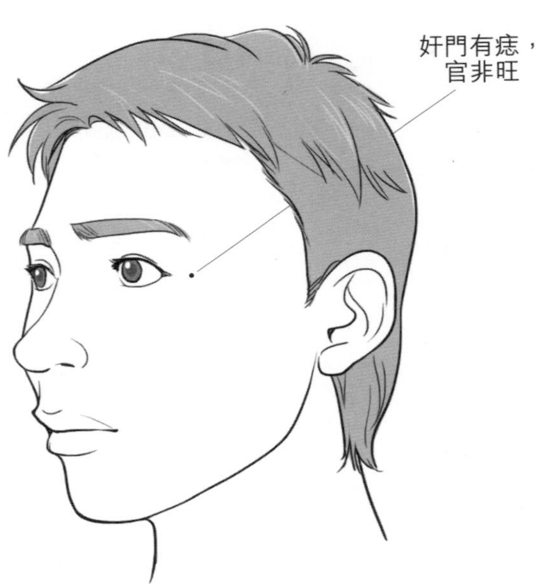

廣告有云：「不在乎天長地久，只在乎曾經擁有」，但一夫一夫又一夫之痛苦感受，是否如此容易抹去，以後見到繩都當蛇辦，更遑論再次談婚論嫁。

究竟從男性面相來看，有沒有剋妻的特徵呢？答案當然是有，現在列舉數點供女士們選擇終身伴侶時作為參考。

「何知其人兩三婚，但看奸門有多紋」，一紋必定剋一妻，二紋二度重婚娶」。男性以奸門為妻宮，奸門有紋破就是妻宮受損。

若不笑時魚尾紋都明顯的，情況就很嚴重；若笑時魚尾紋才顯現，影響程度較輕。

如果魚尾紋是向上的，卻代表自己風流但妻子很惡，不可不知。

既然丈夫之奸門是代表妳，他的奸門不能有破損，「奸門低陷數個填房」，如果男性已曾失婚，當然沒有所謂，如果妳是他的初戀情人，則要打醒十二分精神了。

當然，我們說的刑剋未必一定是生離死別。但是影響妳身體多病痛、多災殃則難免。例如「奸門有痣官非旺」，右邊有則妳會惹官非，而亦會主妳會無緣無故都會腰骨痛。

「何知人家殺頭妻，必是山根年壽低」，殺者，剋也。山根與鼻樑之位置是否低陷，亦是一個警號。

還有，眉頭的形態亦不宜忽略，「何知人家頻換妻，眉頭帶殺下位欹」。眉頭帶殺是指眉毛豎起。

如果妳很喜歡有小孩子，則要兼看他的顴骨，「何知刑妻兼剋子，魚尾偏枯顴骨露」。

女性有淚眼會影響婚姻，原來男性有淚眼亦會對婚姻不利，「淚眼」是指眼有淚積，像喊過的樣子，選擇這種男性，婚姻亦不會長久的。

白色

白色發於肺經，五行屬金，其令為秋。

白色在相學上是一種不吉的氣色，主喪事、憂愁、破耗及刑剋，特別與孝服之關係最密切。

白色初起之時，如白塵拂柱，主哭事將至，白色將盛之時，如膩粉散點，或狀似白紙，主哭事已至。白色將去之時，如灰垢之散，主哭已過。

白色以光潤瑩潔者為白之正色，秋冬發於地閣主先哭後喜，「冬來地閣白光浮」。餘者不論現於何時何位，均主凶。

若白滯而漫，內白外膩者謂之「慘色」，亦主凶。

「何知人家孝服生，但看喪門白粉痕」，喪門指眼肚。這個氣色最常見，但凡家內有人過身，都會在眼肚的位置出現隱隱白白的氣色，非常靈驗，我用這個方法去看「白事」，從未失手。

只要平日多些觀察有「孝服」的親戚或朋友，培養對這種色素的觸覺，很快你就可以把握何謂「白色」了。

「朦朦白色遶唇腮，但見人間白事來」，當白色包圍口唇或在腮角出現的時候，又要警覺會有「白事」。

「何知不久剋妻兒，但看氣色白生眉」，白色眉毛除與剋妻兒有關，原來亦與太太與人通姦有關。

「何知人家妻室淫，奸門暗黑眉如金」。男性以奸門為「妻宮」，妻宮有黑氣，再加上白眉毛長出來，你就有機會「綠帽」頭上戴，除得快不快就要看你自己了。

白色現於面上的時候，就千萬不要出門及小心有交通意外。「何知其人主路死，滿面白色恰如泥」。泥者指晦黯無華。

白色又與感情煩惱之事有關，「法令之鎖準，為情所困」。這是一個非常常見的氣色，幾乎我每天看相都會見到，如能夠把握，保證經常有大顯身手的機會。

白色橫過年上、壽上（即鼻樑的地方），與法令相連，好像是鎖住準頭一樣。女性以鼻為夫星，此色一現，必有男女之間的事困擾着她，有感情之事要她去決定，分手、復合、離婚、另結新歡、私奔……？

歌訣篇

總論

「何知歌」、「何知訣」及「面相淺訣」是前人將面相的經驗滙編而成口訣，通俗易懂，字字鏗鏘，讀來琅琅上口，易於記憶。

我多年來在堂上教授學生時，都將之納入為教材，特別囑咐學生們要背誦至滾瓜爛熟，那麼在日常運用起來時，就可得心應手。

這次我亦將此兩篇歌訣收入《掌相精粹》這套叢書之中，並每句加上注解，希望有志於此道之讀者亦要將之熟誦，保證終生受用不盡。

但此兩篇歌訣之排列是並沒有歸納分類，讀者可自行將有關的歌訣歸類，例如有關山根，「何知兄弟成雙吉，山根高聳眉如一」、「何知兄弟成雙囚，山根折斷眉不豐」、「何知小兒常被驚，山根年壽色常青」。

能經過大家自己整理之後，理解又會深一重。

何知歌

(1) **何知君子多災困，春夏額上常昏昏。**
在春夏天裏，額上有黑氣，運氣阻滯。

(2) **何知君子百事昌，準頭印上有黃光。**
鼻頭有一條黃光氣色直上印堂，事事順境。

(3) **何知人家漸漸榮，顴如朱色眼如星。**
朱色即是黃明之色；眼如星，即眼有神、精靈。顴色黃明潤，眼有神，是有運行也。

(4) **何知人家漸漸貧，面如水洗耳生塵。**
面如水洗即面是有層黑氣；耳生塵即耳色灰黑暗滯，此是行衰運之氣色。

耳黑有腎病，睇醫生亦會睇到窮也。

(5) **何知為官不食祿，坐時伸起頸頭縮。**
坐低後起身時，先縮頸後才起身，多不能食「長糧」。

(6) **何知人家不生兒，三陽暗發如黑煤。**
三陽為左眼，主男；三陰為右眼，主女。三陽暗，仔有事；三陰暗，女有事。眼肚位處有暗黑之氣，子女宮色暗，生女不生仔。

(7) **何知人家怪常來，朦朦黑色遶唇腮。**
怪常，怪事也。有黑色氣圍住口唇及腮，家中常有不可思議之事發生。屋內如有陰暗之長冷巷或終年不見陽光的地方，易招怪事，宜在該處亮長明燈照耀。

(8) **何知兄弟成雙吉，山根高聳眉如一。**

眉如一指眉相稱，眉為兄弟宮，山根高而直，有氣勢，兄弟感情好，兄弟互有助力，事業有成。

(9) **何知兄弟成雙囚，山根折斷眉不豐。**

山根折斷，眉毛斷，眉雜亂，兄弟刑剋，有牢獄之災。山根代表家宅、母親、兄弟、妻子，山根低，有紋破，對六親皆有影響。

(10) **何知人家鬼打屋，天庭數點黑如粟。**

天庭泛指額頭，額上有黑氣，唇又有黑氣，家有鬼怪之事，此屋不宜居住，宜速搬。

(11) **何知人家不及第，眼中赤脈如絲曳。**

眼有紅絲，考試不及格。

(12) **何知人家頻換妻，眉頭帶殺下位欹。**

眉頭帶殺即眉頭帶箭，豎起倒插，性情暴戾，不利婚姻，一妻不能到尾。

(13) **何知人家妻室淫，奸門暗黑眉如金。**

男性奸門有黑氣，眉毛灰白色，妻子有病或有婚外情。

(14) **何知人生不聚財，但看法令破蘭台。**

蘭台，左鼻翼也，如法令紋鈎破左、右鼻翼之位置，四十九及五十歲主破大財。

(15) **何知人家被人傷，眉頭數點赤換長。**

眉頭有數點紅啡赤色，會被人打，有交通意外，被滾水燙傷等血光之災。

(16) 何知人家弟殺兄，山根常黑不分明。

山根色素暗，兄弟不和，生意有拆夥，家宅不寧。

(17) 何知人家常被賊，但看雙岳如煙黑。

兩顴有黑氣，會有賊劫，或染上性病。

(18) 何知生女不生兒，眉間但看兩頭垂。

眉頭兩邊有高低或眉尾垂下，外父相，老婆生女唔生仔。男性在外邊攪攪震之後，兩眉亦會下垂。

(19) 何知小兒常被驚，山根年壽色常青。

山根攀鼻樑，無事喊三場。在面上任何部位見青色，都主有驚憂之事，不吉。如果面青，是自己受驚，但年上、壽上位見青色，則是家宅有驚，小兒受驚。

(20) 何知人家妻受邪，奸門黑漆不光華。

男性以奸門為妻宮，色素暗，主妻有事，配偶有婚外情。如未婚者則女友另有新歡，一腳踏兩船。

(21) 何知人家兒受災，三陽暗黑如煙煤。

在眼下左三陽位色暗，兒子會病。右三陰位暗，則女兒有病。男女同斷。

(22) 何知人家貯積財，甲匱紫色常堆堆。

甲匱是指左、右鼻翼，有紫黃氣色，主財氣，見赤色，是破財。

(23) 何知為官多災難，坐時眉攢口常嘆。

故無事無幹不要無故嘆氣，皺起眉頭，愈嘆氣愈行衰運。要改運，在逆境中亦應常笑，才能將衰運轉為好運，你可不妨試試。

(24) 何知為官一舉超，未發言詞語含笑。

語含笑是指説話富有幽默感，不是指笑容，否則變成「未言先笑兼斜看，淫人妻女冇天莊」，則是大淫蟲了。由大官變成大淫蟲，則是大笑話。

(25) 何知人家殺人惡，但看當門兩齒落。

沒有門牙，眼睛凸出，性格暴戾。門牙亦主父母，左為父，右為母，甩門牙，是刑剋父母。

(26) 何知人家殺頭妻，必是山根年壽低。

此處所指的殺，不是殺死之義，而是指一妻難到尾，會離婚的意思。山根低，是會刑剋兄弟、妻子及父母。

(27) 何知人家殺頭夫，左頸肥大右頸枯。

指女性不能一夫到尾，會離婚。大頸泡的人，脾氣比較暴躁，未能控制情緒，所以多家庭糾紛。

(28) 何知人家生同胞，必是眉頭有旋毛。

眉毛似窩餅，眉旋、眉短，多生孖胎。

(29) 何知官員剋舉主，鼻曲印破多紋纏。

舉主在現代而言即指「老板」，鼻為財星，鼻曲彎折，印堂破，心必曲，不忠心也。請夥計要眼正、鼻直，心必直。

(30) 何知僧道有高明，必是古貌與神清。

望落去似古人，無濁氣，多是得道高僧，或修道之人。每個人都有個樣，做個行，多似個行。

(31) 何知人家遭劫盜，赤脈地位常乾燥。

赤脈即兩顴也。兩顴乾燥就很容易被打劫。

(32) **何知人家孝服生，眼下喪門白粉痕。**

眼下喪門是指臥蠶位，如有白氣，代表有人過世。但看喪門白氣要很細心，否則不易察覺。

(33) **何知壽年九十六，天庭高聳精神足。**

看老人家的相最重要看有冇精神，額高神足多耆老高壽，例如關德興先師便是一個好例子。

(34) **何知壽年八十二，法令低垂是。**

法令過口直落至奴僕，高壽之徵。

(35) **何知其人四十五，面皮如繃鼓。**

面皮拉緊如鼓者，壽命不長。

何知訣

(1) 何知其人主水厄，看他眉間雙黑子。

眉內有癦，不是「禾稈冚珍珠」，而是犯水險。面無好癦，身無好痣。眉、耳、下巴有癦，會犯水險。眉有癦，腋下都有癦；法令有癦，亦是犯水險。

(2) 何知父母兄弟異，耳眼大小高低是。

大細眼，高低耳，鴛鴦眉，多數有不同父母所生之兄弟。女性眉壓目，會有兩個母親，無兩個母親就會有兩個家婆，無兩個家婆，丈夫是「二奶仔」。

(3) 何知其人兩三婚，但看奸門有多紋。一紋必定剋一妻，二紋二度重婚娶。

「奸門」，是男性的妻宮，位置是在眼尾對出，左右各一。奸門有紋，是謂「魚尾紋」，不利婚姻。不笑時而露，情況更嚴重。

(4) 何知女人是婆姨，但看一雙好蠻蹄。

婆姨者，二奶也。蠻蹄者，小腿沒有「腳瓜榔」，即俗稱「竹筒腳」，意思是指沒有「腳瓜榔」的女性多是二奶、繼室或情婦。手細、腳細多是「少奶奶」之命，而腳大則是辛苦命。

(5) 何知刑妻並剋子，魚尾偏枯顴骨露。

魚尾者，即奸門。奸門凹陷而色枯無華，顴露，就會刑妻，並會剋子。

(6) 何知享福又清閑，看他兩腳多毛生。

男人腳毛多是清閑，無腳毛則是惹官

非。女性無腳毛則是性慾太強。身體毛髮弱，腳毛就要少；髮濃，腳毛就要多，最好是不濃不淡。

(7) **何知不久剋妻兒，但看氣色白生眉。**

眉色宜黑，眉色灰白、轉淡，妻有事、有病，或是夫妻要離婚。

(8) **若看眼下白色起，右剋妻兮左剋子。**

眼肚下有白氣色，右剋妻，左剋子，皆主有病痛。

(9) **何知其人剋父娘，但看眉粗又更黃。**

眉黃、眉俗、眉粗亂，性格紊亂，多剋父母。

(10) **何知妻子值千金，但看眼下淚堂深。**

值千金者，指太太出自豪門，或太太很富有。淚堂，又稱臥蠶，即眼下承眼淚的地坊，所謂「淚承於睫」，亦即劃眼線的地方，如此位深而長，主太太是「千金小姐」也。

(11) **何知刑剋子難言，眉粗目大帶雙紋。**

眉粗而折斷，是主剋兒子，刑剋兄弟。

(12) **何知主有美貌妻，看他兩眼長而細。**

俗語有云：「眼大睇過龍」，所以眼細之人，就睇得清清楚楚，無走漏眼也。

(13) **何知男女位上危，準頭分上有青色。**

在鼻翼之上，法令位處，有條白青之氣橫過鼻子，此正是所謂「法令之鎖準，為情所困」，是指男女間有感情之煩惱。

(14)
何知其人揖頭妻，面皮光滑粉如脂。
男性皮光肉滑，面如花旦，油脂粉面，多與妻子不和。

(15)
何知夫婦主分離，四白多生額決虛。
四白指四白眼，額決虛即額凹陷，兩樣都齊，主夫妻聚少離多，分飛兩地。

(16)
何知富貴名聲響，耳生貼肉皆相濟。
「對面不見耳，請問誰家子」，如耳生貼肉，前面望不見耳者，有名有利。

(17)
何知女兒孤且淫，聽他一片雞公聲。
雞公聲是指聲音無聲尾、聲沙及聲拆。如父親說話時無聲尾，快而斷續，如「雞公」之聲音，女兒多會墮落風塵。

(18)
何知末年敗郎當，看他決定無承漿。
承漿者，在口唇之下，訟堂、地閣之上，此位置不佳，晚年多敗。少年看額，老年看下巴。
無下巴，而有雙珠朝口，有救。
耳薄、無下巴，晚年不保。
南方人額高，北方人下巴長。
所以說南方人額高就長命，北方人下巴長就長命，皆是錯的。而應該是南方人下巴長，北方人額高才是長命。南人生北相，北人生南相，非富則貴。

(19)
何知一生多凶害，但看眉毛生出來。
年青人生白眉毛，二十歲生則三十歲死；三十歲生則四十歲死；四十歲後才生，就是長壽。

(20) 何知獄厄有災難，但看眉間有斜紋。一紋一度入獄內，二紋二度入牢危。

眉間有橫紋插入，主牢獄之災，亦會刑剋兄弟。

(21) 何知人生卒暴死，唇青年上生黑子。

唇有瘢及青氣，多暴斃。

(22) 何知人生主路死，滿面白色恰如泥。

泥者，泥沙，指面色朦朦黯滯之謂，滿面灰白，雙目無神，橫禍飛來，主死於路上。

面相淺訣（上）

(1) 金形色白聲清響

西方屬金，其色為白。肺屬金，與聲音有肺如鐘，撞則鳴。肺屬金，與聲音有關，金形之人，膚色白，聲音清澈響亮，聲沙而拆，破格。

(2) 木形粗髮指如槍

木形人，是手指長，指罅疏，指節大，望落去似矛槍。

頭髮應配合身形去看，頭髮是樹頂的葉，所以木形人頭髮粗是入格，代表樹葉茂盛。木形人髮少，是根基弱。如髮粗，鬚就要粗，眉又要粗，三粗是為配合。

髮粗而鬚寒，眉弱，是違反常理，最不吉利。

眉粗，髮幼，亦是不佳，稱之「羅漢相」，主要出家。

(3) 色黑頂平為水相

黑色有蒸黑、曬黑及焗黑。

在水面長期工作的人，皮膚黑而帶油，屬蒸黑。

在馬路上長期工作的人，其膚色屬曬黑。

職業司機的皮膚是焗黑。

黑色只要是油潤光亮就是好色，反之枯乾無光彩就是不吉。不是逢黑色都不佳，否則非洲黑人全部無運行乎？

(4) 頭尖屬火

額頭尖而聲線沙啞的就屬火形，但不

屬多見。

(5) 土帶肥黃

手指短，手指粗、指罅密、手掌厚，身形「論盡」，膚色黃的就屬土形。如屬土形人，就不宜留長頭髮，要剪短髮，最好是「陸軍平頭裝」，因頭髮長是為木剋土，不吉。土形人多屬「肥佬」，肥人如有肚腩則要像「腰如抱兒」，好像有個小孩抱着你條腰的樣子，才是入格。有前一定要有後，即臀部要豐滿。如「有前無後」，則晚年辛苦。

(6) 或者生得有好心而無好相，所以相從心轉而改禍呈祥

眼為心，如目露凶光的人，就要改變自己的心去轉禍呈祥，例如皈依我佛。心善人善，眼亦會善，就可以

將凶禍轉化。一生之凶禍全由兩眼可以看出來，眼凶的人，從小就會有刀傷、燙傷、意外、手術、官非，很應驗的。

心地好不好都是看一雙眼，眼正心亦正，眼斜心亦邪。

眼會笑的人算犯桃花。口唔笑而似笑的人亦會惹桃花。

(7) 五官端正乃係聰明相，富翁圓滿頂平方

眼正鼻直，眉清目秀，口不歪斜，已是一個合格之面相，不論聰明與否了。

骨主貴，肉主富，所以有錢人一定是肉包骨，不會是骨包肉的。

(8) 牙齊衣食能豐厚

牙代表衣食，代表信用。牙不齊，不講信用。

(9) 螣蛇入口，必要餓到眼癱癱

螣蛇，即法令也。如左邊法令紋彎入口，就左邊喉嚨痛。右邊法令彎入口，就右邊喉嚨痛。兩條法令紋彎入口，可代表生喉癌。教書的人都會法令彎入口，職業病也。

(10) 壽長耳大兼神壯

耳仔屬腎，耳大的人，先天稟賦足，故耳仔大的人多會長命。當然，如果神散則是體內五臟六腑精氣已耗盡，又不屬高壽之徵。

(11) 至怕腳踭唔到地必定少年亡

行路與做人都是要腳踏實地，腳踭唔到地其實是一種病態，必定要找醫生及時糾正。

(12) 準頭青現身沾恙

準頭即鼻頭，鼻為土星，青屬木，木來剋土，短期內會病。

(13) 印堂黑影就要買定棺材

印堂主自身，耳黑、鼻黑都未必會死，但若連印堂都發黑，則大限難逃。

(14) 眉粗折斷兄弟喪

眉為兄弟宮，眉折斷就會有兄弟姊妹養不大，又或者兄弟姊妹中有人有痛症，需要做手術。

(15) 烏雲滿面就要損爹娘

何知人家漸漸貧，面如水洗耳生塵。烏雲滿面多是腎有事，腎主水，水屬黑色，腎有病則黑色色素會浮現面上，面色如塵，洗腎都會洗窮。損爹娘是損他們的錢財。

(16) 奸門有痣官非旺

男性左邊奸門有癦就自己惹官非，右邊有癦則老婆犯官非及會有腰骨痛，情緒亦不穩定。如果與一名風月場所的女性結婚，此部位就會長出癦來。

(17) 癦侵月角小人傷

額有癦，會被人打傷。

(18) 眼下浮青兒女喪

不分男女，左邊是代表仔，右邊是代表女，眼下有浮青之色，子女就會有病，甚至死亡，是無緣無故死兒女。

(19) 奸門低陷至少都有兩個填房

離婚或妻子過身後再娶者謂之填房。

奸門低陷亦主有惡妻。

(20) 準頭光潤財星降

準頭黃而帶明光就會有財。如黃而帶油光則不是有財，而是肚瀉，所以要分清楚，否則笑死人。

(21) 掌中明潤定必貴人長

手掌中央為明堂，《木蘭辭》云：「歸來見天子，天子坐明堂」。面相以鼻為明堂，手掌以掌心為明堂。明堂是手掌中氣色所聚之處，如果是暗色，工作就必然多有阻滯。

(22) 骨硬艱辛，榮耀軟掌

硬骨頭，既不肯受氣，性格又不圓滑，自然要吃多點苦頭。軟掌的人自在，但女性之掌太過軟綿綿，摸唔到骨，則是貪圖享受，反容易誤墮風塵。

(23)
高生驛馬，遠走他方

驛馬，即在左、右邊城之位置。不喜歡坐定定工作，最宜做外勤的工作，負責對外。

額角高最宜去外國發展。

(24)
額角巖巉父早喪，山根低陷母先亡

這裏之額角指日角，如缺陷傾斜則父親出問題。

山根主家宅、疾厄，四十一歲是通關運，無喜易見凶，如額角旋毛及月角有缺，則母親出事。

(25)
面皮寬厚朋情廣

骨主貴，肉主富。所謂有「骨氣」，是人多帶點傲氣，人際關係較差，人到無求品自高。從商之人是需要靠人際關係之網絡，故手段必要圓滑，才能八面玲瓏，財源廣進。禮下於人，必有所求。日子有功，面皮自然寬厚，相識滿天下。

(26)
紅筋滿目品性剛

肝主目，肝火上升，自然紅筋滿目，所以脾氣暴躁。

(27)
鼻內空囊斜目看，此人奸滑要提防

眼正心正，眼斜心斜，所以斜目與人交談的人，必要對他提高警覺。

(28)
水生角卸乃係孤寒相

水星，即口也。角，嘴角。角卸，口丫角向下也。是孤寒之人也。

口丫角向下的人，晚年孤單。

鼻有氣勢，準頭肥潤，鼻翼張橫，鼻孔不露，水星角卸，孤寒財主也。

(29) 目長眉短難望兄弟幫

眉為兄弟宮，眉短，是兄弟緣分淡薄，故凡事都要靠自己了。

(30) 眉低壓目神無壯，必定帶埋藤條跪妻房

眉低壓目，即田宅位低，神無壯，眼神不足，必定怕老婆。「眼深不忌眉壓目」，眼深之人多計謀。如只是眉低壓目，但精光內斂，則不是懼內之人。

(31) 步步垂頭個喲係扭計大王

行路時雙手放在後邊，頭微微向下垂，加上個子矮小，必是滿肚密圈，不宜小覷。

(32) 未言先笑兼斜看，淫人妻女無天裝

未講說話，笑聲先行，斜目偷看，多不懷好意，女士們正要小心此類男性。但好一夜情者則是遇正「脂粉客」。

面相淺訣（下）

(1) 咁多故事不過乃係言男兒漢，重有讀書談論講到女嬌娘

面相淺訣（上）主要論男命之相，本篇所言就以女命為主。

(2) 婦人第一要益子將夫旺，背圓掌厚一世好風光

女性以鼻為夫星，是否旺夫就要看顴鼻是否相配。軟掌榮耀，肉主富，所以掌軟而肉厚是具備少奶奶之條件。

(3) 口小鼻圓雙吼不昂，能生貴子可旺夫郎

雙吼指鼻孔，不昂，即鼻不向上昂出而露鼻孔，持家有道，不會亂花費，所謂慳家是也。

(4) 莫話矮婆墮臀唔好樣，一味仔多唔怕絕燈香

墮臀是形容臀部豐滿，臀部大，個子雖然矮小，但此類身形之女性卻很容易懷孕生BB。

(5) 聲清兩目無斜望，必係同諧到老，至少都有三代同堂

「何知三度嫁，女作丈夫聲」。「顴橫聲雄，七夫不了」。所以如果女性要保護妳的婚姻，就須先保護你的聲線，不要隨便破喉大叫，令聲音變拆、沙啞。

眼正心亦正，眼斜心亦斜，眼正則心無二樣，專注於家庭。

(6) 臍凹一分兒一養，二分能見子成雙，三分三個不是虛言講，臍深半吋必有五個兒郎。

現在香港人子女大多一個起，二個止，生育率正在急速下降，所以肚臍有多凹都無甚作用了。

(7) 肥婆腰窄乃無兒相

單是此點並非無兒女之相，還要有齊以下數點，才會無兒女：

第一，人中平滿
第二，口角無棱
第三，眼肚臥蠶浮腫
第四，尾指唔過三關
第五，美人肩直
第六，肚臍淺
第七，有前無後，無後，即臀部不夠豐滿，「莫話矮婆墮臀唔好樣，一味仔多唔怕絕燈香」。

(8) 刑夫眉大額頭光

女性忌凸額。

(9) 兩顴黑瘻屎雙夫喪

丈夫多是肝有事，嚴重的會生癌病。有些女性生育後就會長出瘻屎。

(10) 顴高眼凸剋夠三個夫郎

女性顴高、眼凸都是剋夫之相，再加上額高、額衝、眼怨、聲音沙啞，婚姻多不美。

(11) 眼露髮粗皮肉帶慷，定然生產有災殃

眼露主有凶險、意外、血光。髮粗、皮肉帶慷主身體氣血不足，胎兒不夠營養，所以生產時會有麻煩。

(12) **面滑身粗係淫賤相，倘若不為奴婢亦要當娼**

在現今社會，似乎不應稱為淫賤，而應改説性慾強較為適合。

(13) **半掌一紋為叫斷掌，必要過房養育正保得壽元長**

「男兒斷掌千斤兩，女子斷掌過房養」，斷掌者，感情線與頭腦線連在一起，古稱是「命硬」之人，所以不宜跟父母一起長大，而應跟叔嬸親戚一起生活。

(14) **見人掩面偷斜看，私情密約任偷香，托腮咬指憑門望，一見男人中意就動心腸。喜怒無常將曲唱，行前盼後好梳妝，眼光先笑言詞講，有多嘅形象都係淫娘。**

眼正心亦正，眼斜心亦斜，所以大忌斜目偷看，任憑是皇妃或顯達，內心世界亦在這一刻表露無遺。

「未言先笑兼斜看，淫人妻女無天裝」，原來此種動態出現在女性身上亦是不好，所以説「眼光先笑言詞講」，有諸內，形諸外也。

(15) **腰長口闊偷愁想，嗰啲係懶精唔會把家當**

腰長之人較懶。

古人説：「女人口大食窮郎」。但在現今社會而言，識飲識食只不過是懂得生活享受，並無罪過。女性口大宜做歌星。

(16) **口咬牙筋兼鼻昂，嗰種係陰毒叫做咒人王**

閑時常咬牙切齒（可從腮部的肌肉因咬牙郁動而知），是經常處於神經緊張的狀態，內心是存在某種程度之不滿，故常咒罵他人求取發泄。

(17)

句句是真常要看，勝過麻衣共柳莊

此套歌訣雖然是通俗及口語化了一點，但正因其聲韻鏗鏘，所以易於背誦。由於言詞淺白，更易於理解與記憶，故此我希望大家花一點時間去背熟它。一日一句，個半月便可背完，但一生都受用無窮，是值得的。

實例篇

風流的藝員

他在熱烈的掌聲中坐到講壇前。

對於掌聲，他是欣然接受的。他喜歡掌聲，學員喜歡他，喜歡這樣的實例。因為他是藝員。

他面對眾學員，氣定神閑，雖未至顧盼自豪，也極享受欣賞的目光。畢竟，藝員是需要掌聲的。

「你們看到了什麼？」我問學員們。

「他是藝員。」有人回答，引起哄笑。

「這不是看出來的，是大家知道的。」我說。

「他妻子也是藝員。」又是一陣哄笑。

我看到他的臉紅了。

「應該說，他的前妻也是藝員。」我糾正說。

學員中微微地議論。當然說的是他婚姻的「八卦」資料。

「我請他來是讓大家看相。」我提醒，把大家的情緒集中起來。

「他面帶桃花。」一個男學員先開聲。

「對。」我說。「當明星、演員、藝員非帶桃花不可，不帶桃花當不了藝員。」

那男學員「得戚」之意。

「你憑什麼說他面帶桃花？」我問。

「……」那男學員答不上。

「他英俊！」一個近四十歲的女學員衝口而出，卻引來哄笑。眾人望着那女學員，令她渾身不自在，很尷尬。

「你喜歡他嗎？」我追問。

那女學員立刻成為全場的焦點，連坐在外圍聽電話的萍姐也站起來探頭看着她。那女學員漲紅了臉地點點頭笑。

全場笑了。他也紅了臉。

「為什麼喜歡他？」她答不上。

「是否因為他英俊？」她點點頭。

「她答對了。」我說。「這就是看相。」

學員的情緒又集中了。

「看相要看感覺。」我強調。「連你也不喜歡他，他哪裏談得上帶桃花呢？她喜歡他這個感覺很重要，很真實。這是看相的要訣。」

「女的喜歡他，男的也喜歡他，這就帶了桃花。藝員就要男女老幼都喜愛，都覺得他英俊。」

「男相是這樣看，女相也同樣是這樣看。」

「桃花有正有邪，怎樣看。他是正還是邪？」

一陣子無結果的議論。

「你們看看他的眼。」

大家都把焦點放到他的眼上。

「感覺如何？他的目光是正的、柔的、善的，沒有壓迫感，不惡吧！也不低視斜視。」大家同意。

「這是正桃花，不會害人。」

大家忙於寫筆記。

「他為什麼離婚？」

「性格不合……」、「老婆跟左第二個……」一陣子廢話，我急制止。「我說從相上看。」於是全場啞然。

「大家看看他的眉。」我開始引導。

「重眉。」

「對。」

「重眉配大妻。」

「你的前妻是否比你年長？」我問。

他點點頭。

「妻子比丈夫年長，不一定會離婚。」我再引導。「他的眼尾……」

「有一條魚尾紋！」一個女學員像發現新大陸般。

「對。」我說。「一條魚尾剋一個。還有他的鼻雖然高，但中間起了節。額上有紋。」我逐一指出讓學員看。

「這樣早婚便早離，二十八歲離婚。」他點點頭。

「額上起紋，少年無真運。鼻樑起節，重疊眉，早婚早離。」我總結。

這時有位是男學員舉手問：「師父，他的印堂不是長得不錯嗎？」

「對。」我肯定。「你是質疑，印堂長得好，理應好運，為什麼會離婚呢？」

眾學員都點點頭。

「我剛才不是說過嗎？他的額上有紋，額長得不好。在額運時結婚，即是說，在不好的部位流年結婚，又重疊眉，就會在通關運的時候，在行好運的部位離婚。」我繼續補充，說一些要訣。「如果二十八不離婚，三十六歲也會離婚。」

這該怎麼說呢？我叫大家留意，這也可能算得是秘傳吧，本來我從來不會藏秘私傳的。在香港，我是第一個開班公開教看相的，其後就帶出風氣，爭相效法。我也在電台公開講相，甚受歡迎，開這類節目的先河。

我把我懂得的都公開。

我說，二十八歲兼看眉；三十六歲要兼看鼻。條眉長得不好，那麼，二十八歲也不好。個鼻長得不好，三十六歲亦不好。

「你看他鼻樑起節，三十六歲的流年就不好。所以說，二十八歲不離婚，三十六歲也離婚。」

「我何時可再婚？大師。」他終於問他最關心的問題。

「這問題，你一早便想問了吧？」大家都笑了。

「我來做實例，就是想問這個問題。」

「四十六歲後。」

「那麼遲？」

「你山根低，鼻起節，顴骨低，橫插天倉，要過了鼻樑起節的部位才可再結婚。」

他無奈地點頭。

「他風流嗎？」這個問題眾人皆有興趣，當然，他不免又面紅了。在懂看相的人面前，無個人私隱可言。

這個問題，無人能答。

「他是風流的。」

「我哪裏是風流……」像聞判詞發出解窘的自辯，又會惹來笑聲。

「鼻樑有節，魚尾紋，重疊眉是風流相。」

他只有以笑解窘。

「他色慾重不重？」又是一個爆炸性的問題。

「大師，手下留情……」

學員在竊竊私語。「雞嘴耳、無輪邊、內廓反、眼肚脹、色慾重。」

「他有哪一項？」

眾人又端詳他。

「沒有一項。」我笑着對他說，「你用不着驚慌自怯，你只是風流不下流。」

他立刻釋然。「多謝大師！」

眾人都笑了。

官非牢獄

基哥一出獄便立刻來看我。他十分後悔當日沒有聽我勸告，不然便不用入「大學」去深造人生博士。「大學」者，是他們這類人口中的監獄，基哥是撈偏門的。

我還記得，當第一次見到基哥的時候，他那顆大痣就立刻跳進我的眼裏。懂得看相的人，眼就那樣的「利」。一眼就找到了目標。

他那顆痣長在什麼地方？在奸門。

「奸門有痣官非旺」那一句口訣就在我的腦際不斷回響。

第一次相識，基哥禮貌地向我請教，

請我指點。

我毫不吝嗇也不客氣地直言。

「基哥，你會犯官非。」

他並不為意，因為他是撈偏的。這樣話，是必然的。他以為我是因為他的背景而說的話。

我客氣地請他給我看一看掌。

他的生命線上有一個「方格紋」。

「你會坐監。」

他用笑聲掩蓋不快。

他的手下出聲埋怨我説的不吉利的話。

同行的朋友説，我的相法值得參考留意。

他多謝我指點，説是會留意。

我不説不快。懂相是我的天職。我知道的都應該説。

我繼續説，他的痣在左邊奸門。有被色情職業女性誘惑而惹宮非之兆。

他不再作聲。原來他正是操淫業。其後，他入了「大學」。如今坐在我的面前，一面懊悔。

「我要洗心革臉，有機會嗎大師？」他悔不當初。

我端詳他的面。

「有。」我肯定地回答。

他行年六十，走到水星位，生得很好。法令過口，直垂下巴。下巴圓潤有肉，地閣上朝，晚運極佳。正是開始走好運的時候，絕對可以做正行。

他非常高興。

幾年後，他做珠寶生意，風生水起。每年他公司春茗我例必是座上客。看到一個人走上正途，我非常快慰。

經常失戀的女人

「師父又畀你講中喇！」阿芬又哭成淚人。

每次當她失戀時，她都來找我哭一場。不過，哭完之後，很快又上「戰場」，「情場如戰場」之謂也。

阿芬是我的學員，又是好朋友。我看着她長大，當她是細侄女。

我曾批她若然早婚，就會「一夫一夫又一夫」。

她是否不敢結婚呢？

不是。只是沒有機會結婚。每一次，戀愛「成熟」，還沒有機會踏入教堂，就已經失戀了。

阿芬是一個渴望愛情的女人，因為，她自小就缺乏愛。

為什麼？因為她長了一個「衝突額」。

額脹滿盈，厚而凸出，一種極強的外張衝出之勢態，就是「衝突額」。

有這樣的額，小時就會（要）過房養。就是說，不跟父母長大，或者要契義父母，或者契神。最好在十四歲以後才回到父母身邊，否則，父母會分開。或者是父親有外遇，或者其中一個離開人間。

阿芬的父母離異，她跟外婆長大。

她生來貌美，惹人憐愛，有一種楚楚可人之態，這種神態韻味最吸引男性。所以，桃花重，經常戀愛。

不過，一雙眼充滿了無奈的感覺，是一種被拋棄的憂怨神韻。她往往被人拋棄。失戀分手都是無奈，也說不清原因。

是這種相的一種命運模式。

眼為男女宮，掌管男女感情。眼亮眼樂，感情美滿；眼暗眼怨，感情破碎。眼有積淚，感情失敗，離婚受傷。

感情事逃不過一雙眼。

阿芬的眼還有一項特點對婚姻不利的，就是有多條上眼線。細心觀察，可看到她那雙大大的眼睛，那深刻清楚的上眼線內藏着另一條細細的眼線。這是多次婚姻的徵兆，這是相學上看婚姻的一條「秘訣」。

所以，可以斷定，阿芬在眼運之前結婚必然會離婚，一夫一夫又一夫，不結也經常失戀。

面對着這樣的人生，能說些什麼呢？

每次她來哭訴，我除了當個好聽眾外，只能好言相慰。

「過了眼運，結婚會幸福。一夫到老。」我說。

她懷着美好的憧憬等待。

「為什麼喜歡我的總比我年紀大，十居其九是有老婆（妻子）的？」

「為什麼喜歡我的總是胖子？」

「給我一個瀟灑的可以嗎？」

每次聽到她這樣的話，我唯有苦笑。

「真的不能改變嗎？」

你的相生成這般模樣，怎樣改呢？

你可以不要這樣的額嗎？可以不要這樣的鼻嗎？

女人額高、額凸，「蘋果額」宜配「白頭郎」，即配大夫。

女人鼻直鼻強會嫁胖子。

每每應驗，她只感無奈，我只有祝福她。

困在電梯的人

關於生命線上有「方格紋」一項，我斷「錯」了一次。

方格紋就是一個困局，犯人困着，不能自由行動。

有此方格紋，會入獄，或者住醫院。

不過，我看過一位男士的手上有此方格紋，他並沒有入獄，也從來沒有住過醫院。

原來他是「揸𨋢」的，一生人每天就是困在電梯這個細小的方格。

應否投資

客人來問，是否應該投資。

我問，是準備跟人拍檔吧！

他說，是。

到底應不應該跟人家拍檔，投資前景如何？這是他極想知道的。

我的職責是給他明確的指示。「不可以。」我肯定地回答。

為什麼？客人很想知道。

我說，他做什麼事都例必要親力親為，不能靠人，也沒有人可靠，辛苦不用說。

他點頭。

而且，經常被人背後閑言閑語，背脊被「篤花」。

他點頭。他苦惱，因為他經常是「好心着雷劈」。

為什麼？

就是「鬚寒眉弱犯指背」。

但凡鬚寒眉弱的人，助力少，做事辛苦。而且，不宜做擔保。跟人家拍檔，是先合後散。

因為，眉為兄弟宮。眉弱，兄弟拍

檔無靠。

不過，最近有個相識多年的朋友，游說他合作做生意，合作條件也不錯，利錢又高。他心動。但是，他一向都沒有跟人合作過，心大心細。所以，特地來看相。

經我一說，他心中有數。

他還有一個不利合作的情況，就是「鴛鴦眉」。兩道眉不同樣，一高一低。一道像劍眉，另一道卻散而亂。

「鴛鴦眉兄弟不同心」，拍檔做生意，各懷鬼胎。

兩眉的上部為福堂宮，又是交友宮。如果福堂位飽滿，氣色明潤，適宜跟人合作。若然低陷瀉破，氣色灰暗，則不

宜跟人合作。

福堂為兩庫，福堂低陷，二十七歲前無積蓄。

看投資，要看驛馬位氣色。再看福堂，兼看印色。這三個部位氣色明亮開揚，則可投資，否則，不宜投資。

客人剛行到眉運。眉不好，不順；福堂宮低瀉，會被朋友拖累，會誤交損友。不宜合作，不宜作保，我再三叮囑。

丈夫出去滾

一望而知，她是一名怨婦。

「你丈夫出去滾？」我肯定地問。

她點點頭。

我憑什麼看出來的？

她的鼻長得不錯，鼻直而有肉，乃旺夫鼻，表示丈夫有錢，丈夫有自己的生意。

不過，上下唇不配，上唇薄，下唇厚，而且，口合不攏。表示夫妻不融洽，「唔夾」之謂也。

她不開心，苦淚紋深，眼定定之外，眼還有怨氣。這就是夫有婚外情之相。

但凡鼻好旺夫而不開心，眼有積淚，不愉快，怨氣怒氣，就一定婚姻有問題。

來找我的女人多數是為婚姻而煩惱。很少是為金錢的。

事情在什麼時候發生，會怎樣發展，再配合流年看。

「四十五歲。」她說。

四十五歲行年壽位。

「由六月六日至八月八日，是一個需要抉擇的時期。」是三角關係的抉擇。

她的鼻上有一條白氣，是法令之鎖準，乃被情所困，要抉擇的問題。

她的故事並不新鮮。早年跟老公一起捱，到了老公發了達，便玩小明星，老公當她是透明人。本來，她可以隻眼開隻眼閉，繼續做她的闊太。不過，她終於忍無可忍。

「我能和他離婚嗎？」

我肯定地答，能。「必定離婚。到時，氣色便散去。」

有這樣的氣色，拍拖的會散，夫妻會分開。

轉新工的氣色

其哥是我的徒弟，那天，他來探我。

他是一重情的人，每次來都帶一點吃的東西給我，跟我聊天，閑話家常。

我望着他，禁不住展露微笑。「你要轉新工了？」我說。

「是啊！什麼事都瞞不過師父。」他也展露微笑。

「是你告訴我的。」

他初感詫異，但瞬即明白。「都給師父看到了。」他知道我在看他的氣色。

「已面試了，在等消息，不知道能否成功。」

「一定成功。」

他露出開朗的笑容。「我的氣色……」

「你的氣色好好。」

他往牆上的鏡去看他自己。他回過頭來看我，很明顯，他希望我多說一點。

「看氣色，先看印堂，第二看鼻頭，第三看驛馬。」

他跟着我的指示去看。

「何知人家百事昌？」

他答：「準頭印上有黃光。」

我笑笑，他總算還記得。「你的印上色開，鼻頭有明黃。逢有轉變要看額角驛馬位，驛馬位明黃就有貴人。」

他似乎看到了，不斷地在點頭。

「鼻色已現，皮上發色，是色已現。如果色仍在皮下，就是色還未出來。」

他還是望着我，還想聽。我也意猶未盡。

「明黃色是應戊己土之日，今天是戊申日，明日是己酉，十日後就會應事。現黃氣色就會應戊己日。」

「多謝師父。」

「聘請你的不是我。」

他笑笑。

「這黃色會現三十日，到了白露就會退。」

「驛馬色明亮，是近來的發展較為順利。」

他笑着問。「如果不那麼順利的時候，有什麼趨吉避凶的方法？」

「出門。」

「出外旅遊？」

我點頭。「運滯時，出門走走，帶

動驛馬色，會好一點，順一點。」

「你的驛馬位高，宜走來走去，不適宜做刻板的、坐定定的工作。」

他過去是警務人員，退休後到外地去工作，現在回流，又找到了新工作。

「做來做去是二打六。」他說的職位不高。

我說，看職位高低，要看顴鼻是否相配，鼻的氣勢如何？鼻翼有沒有力？掌上有沒有掌旗紋？如果顴鼻相配，就可以掌高職，掌權話事。

「你鼻有肉，但鼻高過顴，顴較低，襯托不起，所以做中層職位。」

「我都知道自己條件不足夠。」

「知足常樂。」我說。他同意。

妻子婚外情

男的感情婚姻怎樣看呢？

何知歌有云：「何知人家妻妾淫，奸門黑暗眉如金」。

眼是男女宮，眼無神，眼有積淚，眼定定，一副無奈的神色，那就是感情問題。

額低而窄，早婚早離。

他第一次婚姻，十八歲結婚，二十三歲妻主動提出跟他離婚。

第二次婚姻在二十八歲，妻大他一歲。重眉配大妻。他是重疊眉。

現年四十一歲，行山根，山根低。四十二、四十三歲行眼運，行男女宮，眼有積淚，婚姻會有問題。

他懷疑妻子有婚外情。

相、流年部位、氣色都一一確定是出了問題。

不過，我還是説，「過了眼運，婚姻便穩定了。」

少年得志

在一個飯局，他坐在我的對面。

他的相長得不錯，氣宇軒昂，氣清神朗，神采飛揚，顧盼自豪，充滿信心，正在運中。

他說，早已崇拜我，有緣結識，一定要我不吝賜教。他對相學也蠻有興趣，只是沒有時間從師學習。不過，也曾涉獵相書。

「你是一人之下，萬人之上。」我說。

「哪裏，哪裏。」他笑得很自豪得意。

同桌的人說我說對了，什麼也逃不過大師的法眼云云。這類說話，我已經早就麻木了。

他遞上卡片，原來是某集團的行政總裁。

同桌的人說，大老板就是信任他一個人。

他額角高廣，驛馬位高，官祿宮飽滿，印堂平滿，日月角崢嶸，少年得志。實齡二十七，虛齡二十八，已經掌高位。

眉眼鼻生得好，打工就會是一人之下。

但凡額高廣闊，推理力強。驛馬高廣，坐不定，經常走來走去，絕不適宜做「坐定定」的工作。

他要飛來飛去，奔走不停。正合其相。

這兩年還要走動得更多，我說。

「坐飛機像坐公共汽車。」他說。

動得愈多愈好，我說。

二十六、二十七歲行邱陵、塚墓，對上去是額角驛馬位，那就一定要動，要出門的，這是一個「秘法」。

懂得相學的人都知道，在面上的流年部位是分正中、兩邊三排的。但凡行到兩邊的流年部位，都會動。男由左邊走到右邊；女由右邊起到左邊，再回走到中線，兩邊的距離是很遠的，兩邊對上是驛馬位，這都意味着「動」。

動，除出門外，還可以是搬屋。由二十七歲走到二十八歲，驛馬色明亮，今年就會搬屋，會在年尾生日後一百日就搬屋，進田宅之喜。

他問我，如何計算歲數？

我說，虛齡踏上實齡計。出生後一個月是滿月，其實是一歲。因為懷胎十月，再加一百日就是一歲。

二十八歲，印堂生得好，如果沒有升遷便會轉工。二十八歲是通關運，如果未結婚，可以結婚。但凡通關運，一定會有轉變，通關部位生得靚，有喜有慶；通關部位生得差，就有悲。

他的印堂生得靚，所以會升遷，會結婚。

他的眼睫毛倒生插入，手腳會容易折斷。

他急問我，如何化解？

我說，戴隱形眼鏡便可化解。

他連聲多謝。

聚會變成了相學學堂，你問我答，又說了一個晚上，食而不知其味。

生意失敗

她樣貌娟好，可是一笑的時候，整排牙齒都露了出來，那牙齒的顏色灰暗，像積滿了牙垢，令人生厭。

「你要把牙齒洗白，否則，一生人必有一次大失敗。」

她趕緊把口合起來，合得緊緊的，生怕露出一丁點牙影。

「當你成功愈大就失敗得愈大。」我補充說。

「我已經失敗了一次。」她說。「金融風暴後，我生意失敗。」

那可能還不算。我說。她有點恐慌。

那年是二十五歲吧？我問。她點點頭。

二十五歲中正見破，那是十三氣勢部位。紋侵陷破，生意失敗在那一年。不過，邱陵塚墓不錯，難關渡過。

二十八歲印堂飽滿，又是一番景象。

接着，問題來了。眉頭帶殺，眉毛豎起，眉頭帶箭，眉運差。當走到眉運時就會大敗！這幾年辛勞又再次斷送。

怎麼辦？

趕快去把牙齒洗白。她連聲稱是，多謝大師提點。

平地一聲雷

說到少年得志，我想起了我的一位徒弟。他那天來為我當實例。

他現在已經是街知巷聞，人人皆認識的玄學大師。觀眾在熒幕上看到他的風采，在報章雜誌上看到他的文章。

他尊師重道，來當我上課的實例，學員都認識他。

他在哪一年成名，我問。他在哪年得到電視玄機比賽的冠軍大獎。

「二十八歲。」有幾位學員都這樣猜。

對不對？

對。

一望而知，是二十八歲。

為什麼是二十八歲？我問。

印堂生得好。這是唯一的答案。很脹、很滿、很凸……學員中議論了好一會。

他的額好不好？

學員皆搖頭。

他的額長得不好，額窄。就是兩邊額角被長得濃濃厚厚的頭髮遮蔽了。他的髮長得又濃又厚，厚厚的壓在頭頂。

他額窄又低，一望過去，印堂整個脹卜卜的凸了出來，於是，平地一聲雷，在二十八歲那年一下子成名，得了冠軍。少年得志，全仗印堂豐厚。

當然，好運不一定揚名。

好運而揚名還要有其他的條件。

那是什麼？

「準頭對司空，揚名耀祖宗。」

我教學員看看如何謂之「準頭對司空」。準頭者，鼻頭也。司空者，額上五部之一，天庭之下，中正之上。

準（鼻）頭正對額上的司空，那就揚名，光宗耀祖。

「司空慣見」，這類人出名，我真是司空見慣。

旺夫

陳太生得一副旺夫相。

稍懂相學常識的人都知道，「鼻為夫星」。就是說，女子的鼻，代表她的丈夫。鼻長得好，夫就好；鼻長得差，夫就差。相理就是這麼簡單。

說陳太旺夫，就從她的鼻上說。陳太的鼻直，山根高，很有氣勢；而且，她的鼻還豐滿圓潤，脹卜卜。

鼻直主貴；鼻厚主富。鼻直主貴，夫貴而近貴，就是說，丈夫本身顯貴，往來無白丁，交往者非富則貴。

鼻厚而有肉，丈夫會從商，發財發富。

陳太的丈夫是處長級高級公務員，又是太平紳士。

陳太嫁得如此貴夫就全憑她那管鼻。女人鼻好，縱使嫁夫時，夫尚未顯達，後來也會顯貴發達；男人鼻好，就要娶個富貴之妻，否則，娶了個普通的妻子，就會「陀衰家」，會離婚收場。「陀衰家」者，令家運衰落。所以，男人鼻好，非富貴之妻不娶。

常常說，「顴鼻要相襯」。顴跟鼻的關係是女人跟丈夫的關係。

陳太是「顴包鼻」。陳太面形肥胖，一面子肉（福），滿臉滿眼都是笑意，一看上去便知是福相，她的顴跟面頰幾乎連在一起，看上去兩邊像兩雙熱狗，那個又圓又厚又直的鼻子不是像熱狗當中的那條香腸嗎？

我這樣一說，大家都笑了，她笑得更樂，原來她挺喜歡吃熱狗呢。當她笑起來，肉顴鼓脹得像肉飽子。

「顴包鼻」怎麼樣？她追問。

「既旺夫又食得住老公。」我說。食得住者，能把丈夫管住。

她又笑了。兩個肉顴把本來已經細小的眼睛擠得不見了。

她的鼻頭圓厚肉豐有氣勢。那一年，四十八歲，她的丈夫獲頒太平紳士勳銜。

「我現時五十一，怎麼樣？」她追

問。

五十一歲行人中。看陳太的人中深長，很靚。我說，有喜事。

她又笑了。何喜之有？

我說，丈夫升職、娶新抱、抱孫。

「承你貴言！」

兩個月後，陳太請我食飯，帶同丈夫多謝我，她丈夫升了職。

陳太說，下個月請我飲。她的長子結婚。

論相

有時候，來看相的客人喜歡跟我論相。

「我條眉咁短係咪唔好？」

「眉咁短怪不知行眉運咁差喇！」

「相學都唔準嘅，我條眉咁短，兄弟又會咁多。」

他不斷地講他的眉，他十分介意他那對短眉。

我氣定神閑，讓他盡情發揮，這樣的人屢見不鮮，而且，愈講愈大聲，大有在我這個專家大師面前推翻相學之豪氣。

他終於發表完他的偉論了，我一直微笑面對。

他已經等待我的裁決。

「你知其一不知其二，知其表而不知其裏。」我說，「你對相學這樣有興趣，可以抽時間來上課，不應該這樣主觀，一知半解，說相學不準。」

他眨眨眼。「我都係睇書咁講啫。」

我問他，沒有聽過，盡信書不如無書嗎？

他無言。

我說，他不錯是眉短。

書上說，「眉長過目，兄弟四五六。」

他眉短，又為什麼兄弟眾多呢？他渴望得到答案。

我說，眉為兄弟宮。看兄弟朋友看眉是沒有錯。不過，我們看相，不要只看到表面的皮肉毛髮，還要看骨，而且，相骨還是主要的，重要的。

相學經典《冰鑑》說得太清楚了：「脱穀為糠，其髓斯存」。神之謂也。「山騫不崩，唯石為鎮」。骨之謂也。一身精神，具乎兩目；一身骨相，具乎面部。他家兼論形骸，文人先觀神骨。開門見山，此為第一。

「先觀神骨」實為相學的精髓！

談到骨相時，《冰鑑》云：「骨有九起：天庭骨隆起。枕骨強起。頂骨平起。佐串骨角起。太陽骨線起。眉骨伏犀起。鼻骨牙起。顴骨豐起。項骨平伏起。

在頭上以天庭骨枕骨太陽骨為主。在面以眉骨顴骨為主。五者備，柱石器也。一則不窮，二則不賤，三則動履稍勝，四則貴矣。」

我指着他的眉說，你的眉雖然短，但是眉骨長，所以，兄弟眾多。

「我的眉短，是否眉運差？」

不是。我肯定地回答。

他只會把五官割裂地看，單一地看，不懂得配合與關連。他不懂「觀眉看眼」。

但凡上過我的相學班的學員都懂得，「眼圓不怕眉短促」這一要訣。

他說，「為什麼相書上沒有寫？」

我怎麼懂得回答。他有一雙圓圓的大眼，這樣，就化解了短眉之弊。

「你的壞運不在於眉短，而是三白眼。」我說。

他是下三白，就是眼珠下面露出眼白來。三白眼除了下三白外還有上三白（眼珠上露眼白）和四白眼（眼珠的四面都被眼白所包圍）。

但凡三白眼、四白眼，會有凶險，或開刀做手術。

「我是遇到過凶險。你猜在哪一年呢？」居然考我！

凶險不一定在眼運。在流年部位差的年份就出現。

是二十八歲和二十九歲，我說。

對，對！他連連點頭。

印堂低陷紋侵，山林傾瀉髮侵。這兩個部位都很差。

他點頭。原來，他二十八歲撞車，二十九歲跌斷腳。

說到三白眼，使我想起國際級美人

戴安娜。她就是下三白，在車禍中死去，死在眼運。

我看他奸門低陷，氣色昏暗，便說，若果早婚，二十八歲會離婚。

「大師，你說對了。」

他同居了七年，卻在二十八歲結婚。沒想到七個星期後離婚，是妻子提出的。

何知歌云：「何知人家妻妾淫，奸門黑暗眉如金」。眉毛灰白，奸門色暗。

只能嘆一句：「萬般皆是命，半點不由人」。

尤幸萬法唯心造，若能多作福田，誠心修善積德，命運就能有所改變了！

配一個肥丈夫

藝員阿Ann（假名）要請我飲茶，説是看看她的男朋友。

我説，你的男友一定高大威猛。

「師父你真會説笑。」

你當我説笑？我説的是真話。我回應。

「他是否大大隻，唔keep弗就是肥仔一名？」我問。

「你怎麼知道？你見過他？」

「我哪裏見過他，你還沒有介紹呢。我是從你的相上看到的。」我説。

那天，終於跟她男友見面了。

「師父説你是肥仔呀。」她依偎着男友發嬌嗔。

「師父説得對。我小時跟讀書時，都是肥仔嘜一名。後來當……」

她制止男友説下去。「師父你猜他做哪一行。」

「當差的。職位頗高呢！」

我當然猜中。阿Ann很高興。

他男友鼻直顴高，官祿位飽滿，雙眼有神而威，面帶殺氣，百分百當差之人。

「你們有夫妻相。」我說。

兩人聞言都甜入心頭。「乜我地個樣好似咩？」

「相學說夫妻相是指女的該有一個怎樣的丈夫，男的該有一個怎樣的妻子。」

「我不是說過，你的真命天子會是大大隻隻，唔keep弗就是肥仔一名嗎？」

她的男友立刻追問從哪裏看出來的。

我說，女子鼻為夫星，是從她的鼻看出來的。

Ann的鼻又直又高，有肉，就會配一個肥丈夫。

「我不要你肥！」又是嬌嗔。

「那麼，她又為什麼是我的女朋友呢？」男友急問。

「何知人家嬌妻俏？看他兩眼細而長。」他笑了，原先細長的雙眼就更細長了。

阿Ann當然嬌俏，當藝員有camera face。

我問阿Ann年歲是否比男大。

阿Ann有點靦覥，尷尬地點頭。「師父咁你都睇得出？」

「重疊眉配大妻」，她的男友正是重疊眉。

男友大方地說，阿Ann比他大三年多。

問何時可結婚？

二十八歲，我說。最佳的選擇。因為，他的印堂飽滿，會升職，可結婚，到時雙喜臨門。

掌相精粹（中卷）
（原名：掌相與你 中冊-實戰編）

作者
林國雄

編輯
圓方編輯委員會

美術統籌及封面設計
Amelia Loh

美術設計
Man / Charlotte

出版者
圓方出版社
香港英皇道499號北角工業大廈18樓
營銷部電話：2138 7961
電話：2138 7998
傳真：2597 4003
電郵：marketing@formspub.com
網址：http://www.formspub.com
http://www.facebook.com/formspub

發行者
香港聯合書刊物流有限公司
香港新界大埔汀麗路36號
中華商務印刷大廈3字樓
電話：2150 2100
傳真：2407 3062
電郵：info@suplogistics.com.hk

承印者
中華商務彩色印刷有限公司
香港新界大埔汀麗路36號

出版日期
二〇一三年七月第一次印刷

ISBN 978-988-8237-09-8
Published in Hong Kong

面相八字 • 商住風水
流年吉凶 • 國內廠房
擇日改名 • 祖先墓地

歡迎預約

查詢請電 (852) 2771 7877, 9194 4428

地址：九龍長沙灣道 21-25 號長豐商業大廈 5 樓 505 室

網址：http://www.lamkwokhung.com

電子郵箱 lamkwokhung.com master@

另每星期均有設班

教授面相、八字、風水，歡迎來電查詢。